FOLLE, FOLLE, FOLLE L'ÉCOLE!

LA FIÈVRE DU TRÉSOR

DANS LA MÊME COLLECTION :

Crayon de malheur

FOLLE, FOLLE, FOLLE L'ÉCOLE!

LA FIÈVRE DU TRÉSOR

ANDY GRIFFITHS

Texte français d'Hélène Pilotto

Éditions SCHOLASTIC

Catalogage avant publication de Bibliothèque et Archives Canada

Griffiths, Andy, 1961-
La fièvre du trésor / Andy Griffiths ;
texte français d'Hélène Pilotto.

(Folle, folle, folle l'école!)
Traduction de: Treasure fever!

Niveau d'intérêt selon l'âge: Pour les 9-12 ans.

ISBN 978-0-545-98715-8

I. Pilotto, Hélène II. Titre. III. Collection : Griffiths, Andy, 1961- .
Folle, folle, folle l'école!

PZ23.G848Fi 2009 j823 C2008-906701-0

Édition publiée par les Éditions Scholastic,
604, rue King Ouest, Toronto (Ontario) M5V 1E1

5 4 3 2 1 Imprimé au Canada 09 10 11 12 13

Pour Mlle S

Chapitre 1

Il était une fois

Il était une fois – et il est toujours – une école appelée école Sudest de Nordouest de Centreville.

L'école Sudest de Nordouest de Centreville est située au sud-est de la ville de Nordouest, laquelle est située au nord-ouest de la grande ville de Centreville.

Vous n'avez pas besoin de savoir où se trouve Centreville, car c'est sans importance. Ce qui EST important, c'est l'école. Dans cette école, il y a une classe. Et dans cette classe, il y a un groupe d'élèves de 5e année. Et, plus important encore, dans ce groupe d'élèves de 5e année, il y a un garçon nommé Henri Tournelle qui adore raconter des histoires.

C'est ici que j'interviens.

Je suis Henri Tournelle... et voici ma dernière histoire.

Chapitre 2

Un matin vraiment inhabituel

Tout commence un matin, alors que Mme Ardoise, notre enseignante, est en retard.

Bon, ce n'est peut-être rien de très inhabituel à vos yeux, mais croyez-moi, dans le cas de Mme Ardoise, ça l'est. Il faut savoir que Mme Ardoise n'est JAMAIS en retard. D'habitude, elle est en classe à 8 h 36 précises. Ce matin-là, 8 h 36 arrivent, puis passent, et Mme Ardoise n'est toujours pas là.

Oh! personne ne s'inquiète vraiment de son retard!

Olivier Rustaud s'amuse à mâcher des boulettes de papier qu'il lance ensuite sur les autres élèves.

Penché sur son pupitre, Jacob Lepitre dessine une BD. Jacob est toujours en train de dessiner. C'est le meilleur dessinateur de la classe.

Gaëlle Gaillard, la fille la plus forte de l'école, joue au bras de fer avec elle-même. Si elle fait ça, c'est que personne ne veut la défier à ce jeu. Janie Ladouceur l'encourage. Le bras gauche de Gaëlle semble sur le point de gagner.

Guillaume Patente appuie furieusement sur les boutons d'un appareil électronique quelconque. Guillaume Patente est TOUJOURS en train d'appuyer sur les boutons d'un appareil électronique quelconque.

Gina et Paméla Palomino peignent la longue crinière multicolore de leurs chevaux en peluche. Gina et Paméla sont TOUJOURS en train de bichonner leurs chevaux en peluche. Quand elles ne bichonnent pas leurs chevaux en peluche, elles gambadent autour de l'école sur leurs chevaux imaginaires. Gina et Paméla ADORENT les chevaux.

Le reste de la classe s'occupe à des activités plus ou moins importantes. Plutôt moins que plus.

Les seules personnes qui se préoccupent de l'absence de Mme Ardoise sont Florence Fortiche et David Brillant, les représentants de notre classe. David regarde sans cesse sa montre avec anxiété et compare l'heure avec celle de l'horloge de la classe. Florence fait le guet près de la porte et scrute le corridor.

— Toujours pas là! lance-t-elle. Je n'arrive pas à croire que Mme Ardoise n'est PAS ENCORE arrivée!

Tout à coup, Janie Ladouceur, ma meilleure amie, m'agrippe le bras.

— Henri! dit-elle. Lucas n'a pas l'air bien!

Je regarde du côté de Lucas Latrouille. Il s'accroche à son pupitre comme si celui-ci allait s'envoler. Son visage est pâle. Il serre les yeux bien fort. Je comprends qu'il est sur le point d'avoir une crise de panique.

Bon, il y a une chose que vous devez savoir à propos de Lucas Latrouille : cette situation n'est pas particulièrement rare avec lui. Lucas est presque TOUJOURS sur le point d'avoir une crise de panique.

Lucas, voyez-vous, a peur de… ma parole, il a peur de

tout! Des araignées, des embouteillages, des hauteurs, des éclairs, des cotons-tiges, des papillons... Nommez n'importe quoi et vous pouvez être certain qu'il en a peur. Je ne sais pas trop ce qui l'effraie en ce moment. Tout ce que je sais, c'est que je ne l'ai jamais vu aussi effrayé de toute ma vie.

Janie et moi, nous nous levons et nous allons le trouver.

— Lucas! lui dis-je en mettant ma main sur son épaule. Que se passe-t-il?

Lucas avale sa salive. Il cligne des yeux et me fixe avec stupéfaction, comme s'il me voyait pour la première fois.

— Mme... Mme Ardoise! souffle-t-il, la gorge serrée. Elle... Elle est en retard!

— Ça va, le rassure Janie en mettant sa main sur son autre épaule et en la tapotant légèrement. Elle est juste un peu en retard, c'est tout.

— M-m-m... M-m-mais... Mais elle n'est jamais en retard! bégaie Lucas. Et... Et si elle ne venait jamais? Hein?

— On nous enverrait un suppléant, répond Janie. Tout va bien aller. Elle a probablement eu un problème avec sa voiture.

J'ajoute :

— Ou alors, elle est prise dans un embouteillage.

— Impossible, tranche Florence, qui revient de son poste d'observation près de la porte. Mme Ardoise n'a pas de voiture. Elle prend l'autobus.

— Ah ouais, dis-je. Bon point, Florence. Merci de ton

aide.

— Il n'y a pas de quoi, répond Florence, n'ayant visiblement pas compris mon sarcasme.

— Et si elle avait eu un accident? dit Lucas.

— Ça me semble peu probable! répond Janie. Tu sais combien Mme Ardoise est prudente.

— C'est vrai, mais même les gens prudents peuvent avoir des accidents, réplique Florence. C'est pour ça que ça s'appelle des ACCIDENTS. Il est peut-être arrivé quelque chose à l'autobus.

Le visage de Lucas pâlit de plus en plus, si cela est encore possible.

— Ouais, renchérit Jacob. Il y a peut-être eu un déversement d'huile sur la chaussée. Alors, l'autobus a dérapé, est tombé en bas d'une falaise... dans une mer infestée de requins... Puis les requins sont entrés dans l'autobus et ont mangé tout crus tous les passagers... Et, à la fin, il ne restait plus que leurs squelettes. Ensuite, le squelette de Mme Ardoise a escaladé la falaise, a fait de l'auto-stop pour revenir à l'école et il va bientôt entrer dans la classe en...

— JACOB! crie Janie. ARRÊTE! Lucas est en train de mourir de peur! Je suis certaine que Mme Ardoise va TRÈS BIEN!

— Dans ce cas, où est-elle? demande Florence en se levant et en retournant scruter le corridor. Elle devrait déjà être arrivée. Nous devrions être en train de faire des maths.

— Où est le problème? demande Olivier. Nous

DEVRIONS faire des maths et nous ne FAISONS PAS de maths! C'est SUPER, non?

— Mais J'AIME les maths! s'écrie Florence.

— Moi aussi! ajoute David.

— Je déteste les maths! lance Olivier. Vous devriez vous faire examiner le cerveau, tous les deux.

— Et toi, Olivier, tu devrais t'en faire GREFFER un, réplique David. Ça t'aiderait peut-être à aimer les maths.

— Surveille tes paroles, Brillant, grogne Olivier. Sinon...

— Sinon quoi? demande David.

— Sinon, reprend Olivier, je vais dire à mon frère ce que tu as dit. Et je te préviens, il ne va pas aimer ça.

— Raconte ce que tu veux à ton frère, répond David. Il ne me fait pas peur.

— Je vais lui dire que tu as dit ça aussi, dit Olivier. Tu vas le regretter. Tu vas VRAIMENT le regretter! Tu vas VRAIMENT le regretter BEAUCOUP...

Lucas a les yeux qui lui sortent pratiquement de la tête.

— Hé! tout le monde! supplie Janie, pourriez-vous S'IL VOUS PLAÎT, DE GRÂCE, POUR L'AMOUR, cesser de parler de choses effrayantes. Vous faites peur à Lucas!

— C'est un bébé lala, commente Olivier.

— Et toi, tu es une grande gueule! dis-je.

— Je vais dire à mon frère que tu as dit ça, menace Olivier. Et je te préviens, il ne va pas aimer ça.

Je lui demande :

— Y a-t-il UNE SEULE CHOSE au monde que ton frère aime?

— Ouais, répond Olivier. Tabasser les gens. Il aime VRAIMENT ça. Mon frère est un costaud. Il pourrait tabasser toute la classe d'un seul coup, s'il le voulait.

Lucas gémit. Le seul fait d'imaginer Fred Rustaud, le frère d'Olivier, en train de tabasser toute la classe est manifestement trop éprouvant pour lui.

Pauvre Lucas.

Si seulement il savait ce qu'il finira par faire à Fred Rustaud, LUI, Lucas!

Enfin, mieux vaut qu'il ne le sache pas tout de suite, car ce serait décidément TROP éprouvant pour lui.

Chapitre 3

M. Barbeverte, notre directeur

Tout à coup, Florence quitte son poste d'observation près de la porte et court jusqu'à son bureau.

— Silence, tout le monde, dit-elle. M. Barbeverte s'en vient… et il est accompagné!

À coup sûr, il se passe quelque chose. Après tout, Mme Ardoise a peut-être VRAIMENT eu un accident?

Lucas s'étouffe en entendant le nom du directeur.

— Ça va aller, Lucas, lui dis-je.

Lucas, trop effrayé pour répondre, se contente de me regarder.

Janie et moi lui donnons une dernière petite tape amicale et retournons à notre place.

Nous venons à peine de nous asseoir quand le directeur Barbeverte et un autre homme entrent dans la classe.

Le directeur Barbeverte, vêtu de l'uniforme blanc de la marine, tel un capitaine de bateau, salue la classe.

Chapitre 4

Ce que vous devez savoir au sujet de M. Barbeverte, notre directeur

Bon, avant d'aller plus loin, je dois vous dire une chose : M. Barbeverte n'est pas un capitaine de bateau. Il aime simplement les bateaux et la navigation.

Quand je dis qu'il aime les bateaux et la navigation, je veux dire qu'il aime VRAIMENT les bateaux et la navigation.

En fait, il aime tellement les bateaux et la navigation qu'il fait comme si l'école était un immense bateau, que tous les enseignants et les élèves étaient ses marins, et que lui, bien entendu, en était le capitaine.

C'est important que vous le sachiez, car autrement vous pourriez penser qu'il est un peu fou.

À vrai dire, il est UN PEU fou, mais il ne l'est pas COMPLÈTEMENT. Il est juste fou de tout ce qui se rapporte aux bateaux et à la navigation.

Chapitre 5

M. Desméninges

— Bonjour, matelots, dit M. Barbeverte.

Nous bondissons sur nos pieds et le saluons. Nous sommes bien entraînés.

— Bonjour, monsieur Barbeverte, répondons-nous tous en chœur.

Enfin, tous sauf Lucas qui est encore figé sur sa chaise.

— Je vous demande à tous d'accueillir un nouveau membre d'équipage à bord de notre bon navire, l'école Sudest de Nordouest de Centreville, déclare-t-il. Voici M. Desméninges. Il sera votre officier commandant pour le reste du trimestre. Malheureusement, Mme Ardoise a frappé du gros temps et s'est vu accorder une permission à terre. Je compte donc sur vous pour aider M. Desméninges à développer son pied marin et à se démêler dans les cordages. Je suis certain que si nous unissons nos forces, nous réussirons à faire voguer ce vieux rafiot convenablement. Est-ce que je me fais bien comprendre?

— Oui, monsieur Barbeverte! répondons-nous.

Le directeur se tourne vers M. Desméninges et le salue.

— Bon vent, monsieur! lance-t-il en sortant de la classe

d'un pas décidé.

Nous fixons M. Desméninges.

M. Desméninges nous fixe à son tour. Une lueur folle éclaire ses yeux verts et perçants.

Le moins que je puisse dire, c'est que M. Desméninges ne ressemble à aucun autre enseignant que j'aie croisé à l'école Sudest de Nordouest de Centreville.

Il porte un veston violet, une chemise orange et une cravate vert pomme.

Ses cheveux poussent dans toutes sortes de directions bizarres. On jurerait qu'il a subi une forte décharge électrique juste avant d'entrer dans notre classe.

Sans oublier cette lueur folle qui brille dans ses yeux.

M. Desméninges frotte ses mains ensemble et nous sourit.

— Alors, classe 5C, dit-il, qu'allez-vous m'enseigner de bon, ce matin?

Chapitre 6

Ce que les enseignants IGNORENT

Bon, je ne sais pas à quoi ressemblent les enseignants de votre école, mais je sais qu'à l'école Sudest de Nordouest de Centreville, AUCUN enseignant ne commence une leçon en nous demandant à NOUS, les élèves, ce que nous allons LUI enseigner.

Comme nous allons très bientôt le découvrir, M. Desméninges fait les choses un peu différemment des autres enseignants.

Euh... TRÈS différemment, à vrai dire.

— Mais c'est VOUS qui êtes censé enseigner! proteste Florence.

— Où donc as-tu pêché une idée pareille? s'étonne M. Desméninges.

— Eh bien, c'est évident, répond Florence. Vous êtes l'enseignant!

M. Desméninges sourit.

— Et tu penses que les enseignants savent tout?

— Bien... oui, répond Florence.

M. Desméninges la regarde avec intensité.

— TOUT? répète-t-il.

— Euh, non, pas TOUT, répond Florence, mais ils sont

censés en savoir plus que les élèves.

— Je n'en suis pas si sûr, dit M. Desméninges. Qui peut me nommer une chose que vous connaissez et que je ne connais pas?

— Nos noms! s'exclame Jacob, toujours rapide sur la gâchette. Vous ne les connaissez pas, et nous, oui.

M. Desméninges approuve d'un signe de tête.

— Très bien! Nommez-m'en une autre!

— Comment sauter en bas d'un escalier en planche à roulettes sans tomber, dit Gaëlle.

— Eh bien, il se trouve que je PEUX faire ça, répond M. Desméninges. Mais il est vrai que je dois encore perfectionner ma glissade sur la rampe... donc, oui, ta suggestion est bonne. J'ai encore bien des choses à apprendre en planche à roulettes. Une autre!

— Je parie que vous ne savez pas comment bouchonner un cheval! lance Gina.

— Excellent! dit M. Desméninges. Tu marques un point. Je ne saurais même pas par quel bout du cheval commencer!

— Oh! c'est facile, enchaîne Paméla. Par la tête, bien sûr. On prend une étrille et...

Mais elle ne peut pas poursuivre son explication, car Olivier l'interrompt – ce qui est une bonne chose, car quand Gina et Paméla commencent à parler de chevaux, ça peut durer une éternité.

— Vous ne savez pas comment fabriquer des boulettes de papier mâché superrésistantes! clame Olivier.

— Tu marques un autre point, dit M. Desméninges.

C'est un art dont je suis tristement ignorant, à mon grand regret.

Olivier semble perplexe. Je ne crois pas qu'il ait compris la réponse de M. Desméninges. D'ailleurs, il ne comprend pas grand-chose en général, sauf s'il s'agit de fabriquer des boulettes de papier mâché superrésistantes ou de menacer les autres avec son frère.

— Vous ne savez pas voler! suggère Guillaume.

— C'est vrai, répond M. Desméninges. J'IGNORE comment voler. Mais je vous soupçonne de ne pas le savoir non plus.

— Pas encore, répond Guillaume, mais mon père est un inventeur et il travaille à un propulseur à réaction assez petit pour tenir dans le talon d'une chaussure. Il dit que je serai le premier à l'essayer quand il sera prêt.

— Tant mieux pour toi! dit M. Desméninges. J'espère que tu me laisseras l'essayer aussi. J'ai toujours voulu voler.

— Volontiers, dit Guillaume. Je vais en parler à mon père.

— Et voilà! conclut M. Desméninges. Vous avez tous tant de choses à m'apprendre! Le vrai problème, c'est par où allons-nous commencer?

— Par les maths! s'exclame Florence. Nous faisons toujours des maths le lundi matin.

— Nous y viendrons un peu plus tard, répond M. Desméninges. J'aimerais que nous débutions par l'essentiel. Pour commencer, nous allons apprendre à respirer.

Chapitre 7

Comment respirer

— Mais nous savons déjà comment respirer! objecte David.

— Rectification! dit M. Desméninges. La plupart des gens CROIENT savoir comment respirer, mais en réalité, ils n'en savent rien.

M. Desméninges s'avance vers la rangée de fenêtres qui occupe un mur de la classe et il les ouvre toutes grandes.

— Quelqu'un peut-il me dire ce que c'est? dit-il.

— C'est une fenêtre? risque Janie.

— Oui, et quoi d'autre? demande M. Desméninges.

— C'est une fenêtre ouverte? risque encore Janie.

— Et? dit M. Desméninges en nous regardant un par un. Et...?

Personne ne sait trop quoi répondre. Nous avons tous les yeux rivés sur lui.

— De l'air frais! hurle-t-il.

Je n'ai jamais rencontré personne d'AUSSI excité par de l'air frais que M. Desméninges.

Florence lève la main.

— Peut-on faire des maths à présent? demande-t-elle.

— Mais nous n'avons pas encore appris à RESPIRER! répond M. Desméninges. Nous ne pouvons pas faire des maths ni quoi que ce soit d'autre avant de savoir comment alimenter nos cerveaux en oxygène frais! Allez, tout le monde debout, s'il vous plaît!

Je me lève d'un bond. Je n'ai jamais eu de leçon de respiration. Surtout pas un lundi matin.

D'habitude, nous passons nos lundis matin à placer des nombres en colonnes, puis à les additionner, à les soustraire, à les multiplier et à les diviser. Bien sûr, nous devons respirer en faisant ça, mais ce n'est pas le but de l'exercice. Le but de l'exercice, c'est de trouver la bonne réponse.

— Bien, dit M. Desméninges. Tenez-vous droits. Posez vos mains sur votre ventre. Maintenant, inspirez profondément par le nez! Continuez à inspirer... votre ventre doit se gonfler comme un petit ballon.

Florence Fortiche lève la main.

— Aurons-nous un test là-dessus, monsieur? demande-t-elle.

— Un test? répète M. Desméninges. Mais de quoi parles-tu?

— D'habitude, Mme Ardoise nous fait subir un test chaque fois que nous terminons un chapitre sur un sujet, explique Florence.

— Aimerais-tu vraiment subir un test? demande M. Desméninges.

— Oui! répond Florence avec entrain. J'adore les tests!

— Parfait, dit M. Desméninges. Tant mieux parce que ce sera le test le plus important DE VOTRE VIE. Si vous respirez correctement, vous vivrez. Si vous ne respirez pas correctement, eh bien... ma foi... j'ai bien peur que vous ne subissiez plus aucun test, ni dans cette matière ni dans aucune autre.

Florence hoche la tête avec sérieux. Elle n'a jamais échoué à un test de toute sa vie et il n'est pas question qu'elle commence aujourd'hui. Surtout quand les enjeux sont aussi élevés.

Janie me donne un coup de coude et fait un signe en direction de Lucas.

Je jette un coup d'œil vers lui.

Lucas tremble. Je lui murmure :

— C'est bon, Lucas. Continue simplement à respirer et tu vas passer!

Lucas hoche la tête.

— Pas de chuchotements! dit M. Desméninges. Ne faites que respirer!

J'inspire. Je sens ma poitrine se gonfler.

— Pendant que vous inspirez, sentez l'air qui entre dans vos narines, dit-il. Sentez-le descendre dans le fond de votre gorge et jusque dans votre poitrine. Remarquez le moment où vos poumons sont pleins et cet instant d'immobilité complète juste avant l'expiration. Sentez l'oxygène de l'air qui se mélange à votre sang. Sentez votre sang qui circule dans vos bras, vos jambes et votre cerveau. LA RESPIRATION N'EST-ELLE PAS FASCINANTE?

— On peut s'asseoir, maintenant? demande Olivier.

— Nous asseoir? répète M. Desméninges. Nous venons à peine de commencer!

David lève la main.

— Quand allons-nous commencer à travailler pour vrai, monsieur? demande-t-il.

— Ceci EST du vrai travail! répond M. Desméninges en souriant. Qu'est-ce qui pourrait être plus vrai ou plus important que d'apprendre à respirer? Vous devez le faire chaque jour, chaque minute, chaque seconde de votre vie et, si vous arrêtez de le faire, vous mourrez. Je crois que cela mérite un peu de notre attention, ne pensez-vous pas?

— Mais j'aime les maths! dit Florence. Puis-je calculer le nombre de respirations que je prends?

— Si tu veux, répond M. Desméninges. Mais je comprends mal que respirer ne soit pas assez amusant pour toi. J'adore respirer. Plus j'absorbe d'air frais et mieux je me sens!

En disant cela, M. Desméninges passe la tête, puis tout le haut de son corps, dans une fenêtre.

— Inspirez! crie-t-il. Comme ceci!

Je vois la poitrine de M. Desméninges se gonfler puis, tout à coup, M. Desméninges disparaît.

Je cligne des yeux.

Je n'arrive pas à le croire.

M. Desméninges est tombé par la fenêtre!

Oui, vous avez bien lu la dernière phrase.

M. DESMÉNINGES EST TOMBÉ PAR LA FENÊTRE!

Je ne sais pas trop comment ça s'est produit.
Mais ça s'est produit.
Ça s'est réellement produit.

Chapitre 8

La classe 5C à la rescousse

Bon, vous devez vous dire : « Et alors? Les enseignants de notre école tombent fréquemment par la fenêtre. Ils s'y font même parfois pousser. » Mais ce que vous ignorez, c'est que notre salle de classe se trouve au deuxième étage. Si un enseignant tombe par une de NOS fenêtres, c'est GRAVE!

— FAITES quelque chose, quelqu'un! crie David.

— Pourquoi ne fais-tu rien? réplique Jacob. C'est TOI le représentant de la classe!

— As-tu une idée? demande David. Ce genre de situation n'apparaît pas vraiment dans le manuel du représentant de classe.

— Il y a un manuel du représentant de classe? s'étonne Jacob. Pour vrai?

— Non, bien sûr que non! s'empresse de répondre David. Je blaguais.

— A-a-a-a… bégaie Lucas.

— Oh, oh! constate Janie. Lucas a une autre crise de panique.

— A-a-a-attrapez ses pieds! crie-t-il en désignant la fenêtre.

Je me rue à la fenêtre.

Comme de fait, deux bouts noirs dépassent du rebord de la fenêtre. Ce sont les bouts des chaussures de M. Desméninges.

M. Desméninges est pendu la tête en bas, et seul le bout de ses orteils le retient à une fenêtre du deuxième étage!

— J'imagine que c'est impossible pour toi de me remonter, n'est-ce pas?

Il dit cela d'une voix très calme et très posée, comme s'il n'était pas pendu la tête en bas et que seul le bout de ses orteils le retenait à une fenêtre du deuxième étage.

— Non, monsieur, dis-je. Pas de problème.

J'attrape une des chevilles de M. Desméninges et j'essaie de le remonter, mais il est trop lourd. Je me tourne vers les autres élèves. Ils me regardent tous avec un air déconcerté. Je hurle :

— Qu'est-ce que vous attendez? Venez m'aider!

Gaëlle Gaillard se précipite à mes côtés et agrippe l'autre cheville de M. Desméninges.

— Je l'ai! dit-elle.

Gaëlle a la réputation de pouvoir assommer une personne d'un seul coup de poing. Non pas que nous l'ayons déjà vue le faire, mais c'est la réputation qu'elle a, et personne n'a vraiment envie de vérifier si cette réputation est fondée ou pas. Alors, je lui demande :

— Que faisons-nous à présent?

— Nous le tirons, bien sûr! répond Gaëlle. Es-tu prêt?

Je hoche la tête.

— Attention! Un, deux, trois, tirons!

Gaëlle et moi tirons de toutes nos forces, mais M. Desméninges est encore trop lourd.

— Nous avons besoin de renfort! lance Gaëlle. Janie! Mets tes bras autour de ma taille. Et qu'une autre fille mette ses bras autour d'elle, et une autre derrière elles! David, arrange-toi pour que les garçons fassent la même chose derrière Henri. À mon signal, nous allons tous tirer. Compris?

— Compris! répond Janie.

— C'est brillant! s'exclame David. Pourquoi n'y ai-je pas pensé moi-même?

— Probablement parce que ce n'était pas dans le manuel du représentant de classe, répond Jacob.

— Très drôle, Jacob, réplique David. Maintenant, mets-toi en position. L'heure est grave.

— Oui, mon capitaine, répond Jacob en faisant le salut militaire à David.

Une fois que chacun est en place, Gaëlle donne le signal.

— Attention, tout le monde, dit-elle. Ho...

— HISSE! répond le reste de la classe en tirant.

— Ho... crie Gaëlle.

— HISSE! crie la classe.

Et ainsi de suite pendant un bout de temps, jusqu'à ce que, lentement mais sûrement, nous parvenions à remonter le bas du corps de M. Desméninges dans la classe.

C'est à ce moment précis que la porte de la classe s'ouvre avec fracas.

Chapitre 9

Mme Malcommode

— Vous êtes en train de faire quoi exactement? lance une voix en colère.

En fait, la voix est tellement en colère qu'elle ne peut appartenir qu'à une seule personne : Mme Malcommode. Mme Malcommode est de loin l'enseignante la plus colérique de école Sudest de Nordouest de Centreville. À bien y penser, je crois que je n'ai jamais vu Mme Malcommode autrement qu'en colère.

Je jette un coup d'œil par-dessus mon épaule.

Mme Malcommode se tient à l'entrée de la classe. Elle a le visage rouge et les mains sur les hanches.

— J'essaie d'enseigner dans la classe voisine! dit-elle. Mais je m'entends à peine parler avec tout le vacarme que vous faites! Pouvez-vous m'expliquer ce que vous êtes en train de faire, juste ciel? Et où est votre enseignant?

Malheureusement – ou heureusement, selon le point de vue – c'est à cet instant précis que nous parvenons tout à coup à ramener le haut du corps de M. Desméninges dans la classe. La chose se produit brusquement. Aucun de nous ne s'y attendait. Nous tombons tous à la renverse sous l'effort. Nous nous affalons par terre aux pieds de Mme Malcommode et la faisons tomber par la même occasion.

— Ôte-toi de sur moi! lance Mme Malcommode en repoussant Florence Fortiche avec mauvaise humeur, avant de se relever et de lisser sa robe.

— Bonjour, dit M. Desméninges très poliment, comme si, l'instant d'avant, il n'avait pas été pendu la tête en bas et que seul le bout de ses orteils l'avait retenu à une fenêtre du deuxième étage. Je m'appelle M. Desméninges. Je suis vraiment désolé pour le bruit. J'ai eu un petit accident.

Mme Malcommode fixe M. Desméninges d'un regard furieux.

— Où est Mme Ardoise?

— On lui a accordé une permission de rester à terre, répond M. Desméninges. Je suis l'enseignant suppléant de la classe 5C.

— Vraiment? répond Mme Malcommode en le dévisageant avec méfiance. Eh bien, pourriez-vous faire moins de bruit? Certains d'entre nous essaient d'enseigner!

— Et certains d'entre nous tombent par la fenêtre! réplique M. Desméninges.

Mme Malcommode ouvre la bouche pour répondre, mais la referme aussitôt, tentant de comprendre les paroles de M. Desméninges.

Puis, tout en secouant la tête, elle tourne les talons et sort de la classe.

— Je vous remercie tous de votre aide, déclare M. Desméninges. Vous pouvez retourner vous asseoir.

J'adore ça.

Nous venons de lui sauver la vie et il nous « remercie tous de notre aide » bien poliment comme si nous n'avions rien fait de plus que lui tenir la porte.

Nous retournons à nos places, nous assoyons et regardons fixement M. Desméninges.

— Comme vous avez pu le constater, dit-il, il est très important de ne pas tomber par la fenêtre quand on respire.

Chapitre 10

1re grande leçon de M. Desméninges

Il est très important de ne pas tomber par la fenêtre quand on respire.

Chapitre 11

Un homme, une chèvre, un loup et un chou

— Peut-on faire des maths à présent? demande Florence.

Toute la classe grogne.

— Bien sûr, répond M. Desméninges.

Toute la classe grogne de nouveau.

— Nous sommes rendus au chapitre dix du manuel, dit gentiment Florence.

— De quel manuel? demande M. Desméninges.

— De CE manuel, répond Florence en brandissant notre manuel *Les maths, c'est amusant!*

M. Desméninges emprunte le livre de Florence et le feuillette.

— Hum... fait-il. La couverture du manuel dit : *Les maths, c'est amusant!* Pourtant, on ne dirait jamais ça à le regarder, pas vrai?

— J'aime ce manuel, objecte Florence.

— Qu'est-ce que tu aimes, en particulier? demande M. Desméninges.

— J'aime résoudre des problèmes, répond Florence.

— Résoudre des problèmes? répète M. Desméninges en caressant son menton d'un air pensif. J'ai un VRAI problème pour vous! Écoutez bien. Un homme a une chèvre, un loup et un chou. Il arrive près d'une rivière qui n'a pas de pont. Il y a cependant un petit bateau qu'il peut utiliser pour traverser la rivière. Le bateau ne peut contenir qu'une des trois choses qu'il a, à la fois. S'il fait traverser le loup en premier, la chèvre mangera le chou pendant ce temps. S'il fait traverser le chou en premier, alors le loup mangera la chèvre pendant ce temps. Comment va-t-il résoudre son problème?

— Mais... Mais... ce ne sont pas des maths! proteste Florence.

— Pourquoi donc? demande M. Desméninges.

— Parce qu'il n'y a aucun nombre! s'écrie Florence.

— Il n'y a aucun nombre, répond M. Desméninges, mais c'est assurément un problème. Un problème concret auquel chacun d'entre vous pourrait très bien être confronté un jour.

— Je n'ai pas de bateau, fait remarquer David. Ni de chèvre. Ni de loup. Et je n'aime pas le chou, alors pourquoi je me baladerais avec un chou?

— Sers-toi de ton imagination, David, répond M. Desméninges.

— Mais vous avez dit que c'était un problème concret, insiste David.

— L'imagination, C'EST la vie, dit M. Desméninges. Et la vraie vie demande parfois une bonne dose d'imagination!

— Pourquoi ce gars doit-il traverser la rivière? demande Olivier.

— Pas important, répond M. Desméninges. Mais puisque tu le demandes, disons qu'il va visiter son ami qui habite de l'autre côté de la rivière.

— Pourquoi doit-il absolument traîner sa chèvre, son loup et son chou avec lui? demande encore Olivier.

— Une fois de plus, c'est sans importance, répond M. Desméninges. Peut-être craint-il qu'ils s'ennuient s'il les laisse seuls à la maison?

— Je peux admettre qu'un loup et une chèvre puissent s'ennuyer, dit David, mais comment un chou peut-il se sentir seul? Les choux n'ont pas de sentiments!

— Comment peux-tu en être vraiment sûr? demande M. Desméninges.

— Parce que c'est un CHOU! réplique Florence. Les choux sont des plantes et les plantes n'ont pas de sentiments!

— Celui-ci en a, déclare M. Desméninges. C'est un chou particulièrement sensible. Il accompagne l'homme partout. En fait, il est son meilleur ami. L'homme l'a sauvé d'un magasin de fruits et légumes, un jour. Il a entendu son appel : « À l'aide! Au secours! Ils vont me manger! » Alors l'homme s'est empressé de l'acheter et l'a emporté chez lui. Très vite, tous deux sont devenus des amis. Vous voyez pourquoi il est absolument hors de question que l'homme laisse son chou à la maison ou qu'il prenne le risque de voir la chèvre le manger.

Florence et David se renfrognent sur leurs chaises.

— Voilà donc le problème, poursuit M. Desméninges. Qui a une solution à proposer?

Olivier lève la main et dit :

— Si j'étais l'homme, j'étranglerais le loup pour qu'il ne mange pas la chèvre, puis j'étranglerais la chèvre pour qu'elle ne mange pas le chou. Enfin, j'étranglerais le chou pour qu'il ne mange ni la chèvre ni le loup. Comme ça, ça n'aurait plus d'importance dans quel ordre je leur fais traverser la rivière.

Je m'exclame :

— Mais ils seraient tous morts!

— Et alors? demande Olivier.

— Alors ça n'a aucun sens, tranche Florence. Pourquoi l'homme étranglerait-il le chou? Les choux ne mangent pas les loups ou les chèvres.

— Parce que c'est un vilain chou et qu'il avait l'intention d'étrangler l'homme! répond Olivier.

— Mais il est son meilleur ami! objecte Janie.

— Ils se sont disputés, répond Olivier.

M. Desméninges regarde Olivier et hoche la tête.

— Intéressant, note-t-il. Très intéressant. Mais je crois que ce serait préférable si l'homme leur faisait tous traverser la rivière vivants. Même le chou.

— Comme vous voulez, dit Olivier. J'essayais simplement de me rendre utile.

— Quel genre de bateau est-ce? demande Guillaume. Est-ce un bateau de course?

— Non, répond M. Desméninges.

— Un bateau à moteur, alors? demande Guillaume. Les bateaux à moteur sont vraiment chouettes!

— Non, répond M. Desméninges.

— Un aéroglisseur? demande encore Guillaume, plein d'espoir. Les aéroglisseurs sont encore plus chouettes que les bateaux à moteur!

— Ce n'est ni un bateau de course, ni un bateau à moteur, ni un aéroglisseur, dit M. Desméninges. Ce n'est qu'une barque bien ordinaire.

— Oh... dit Guillaume en haussant les épaules. Les barques, c'est TELLEMENT fossile!

— L'homme a-t-il un cheval? demande Paméla.

— Non, répond M. Desméninges. Seulement un loup, une chèvre et un chou.

— Où est son cheval? demande Gina.

— Je l'ignore, répond M. Desméninges. Peut-être s'est-il enfui?

Les jumelles échangent un regard alarmé.

— Enfui? répète Gina. L'homme ne devrait-il pas essayer de le rattraper?

— C'est ce qu'il fait, répond M. Desméninges en prenant une grande respiration. C'est une des raisons pour lesquelles il veut traverser cette rivière : pour chercher son cheval.

— Mais comment le cheval a-t-il traversé la rivière? demande Gina.

— Ce n'est pas important, dit M. Desméninges. D'après moi, il a utilisé la barque et ramé!

— Non, objecte Paméla. Impossible. Les chevaux ne rament pas.

— Celui-ci, oui, affirme M. Desméninges. Mais ce n'est

pas important. Ce qui est important, c'est comment l'homme va s'y prendre pour traverser la rivière avec le loup, la chèvre et le chou? La première personne qui trouve la solution reçoit un bonbon tricolore exquis!

Voilà une phrase qui capte l'attention de tout le monde. Personne ne s'intéresse vraiment aux chèvres, aux loups ou aux choux, mais TOUT LE MONDE s'intéresse aux bonbons tricolores exquis.

Cependant, PERSONNE ne s'intéresse plus aux bonbons tricolores exquis que MOI.

Chapitre 12

Le nombre exact de personnes dans le monde qui s'intéressent plus aux bonbons tricolores exquis que moi

Zéro.

Chapitre 13

Une petite boulette mouillée

Mon problème, c'est que je ne sais pas trop par où commencer pour résoudre le problème.

L'homme devrait-il d'abord faire traverser le chou? C'est son meilleur ami, après tout. Mais pendant qu'il ferait cela, le loup mangerait la chèvre.

De toute évidence, ce serait mieux si l'homme faisait d'abord traverser le loup. Mais alors, la chèvre mangerait le chou laissé sans surveillance.

Ce serait donc mieux si l'homme faisait d'abord traverser la chèvre. Mais ensuite, l'homme devra revenir chercher soit le loup, soit le chou. S'il fait traverser le loup, alors celui-ci mangera la chèvre pendant que l'homme va chercher le chou.

S'il fait traverser le chou, alors la chèvre mangera le chou pendant qu'il va chercher le loup.

C'est impossible! L'homme n'a aucune chance d'y arriver!

Soudain... *Ploc!* Une petite boulette mouillée me pince la nuque.

Bon, j'ai un nouveau problème maintenant.

Olivier Rustaud.

Olivier n'est pas seulement le genre de personne qui

n'hésiterait pas à étrangler des loups, des chèvres et des choux s'il devait traverser une rivière rapidement, mais comme je crois l'avoir déjà mentionné, il aime aussi mâcher de petits morceaux de papier, les rouler en boulettes et les lancer sur les gens.

Et il choisit ce moment précis pour s'intéresser à moi.

Je me retourne et dit :

— Très amusant!

— De quoi tu parles? s'étonne Olivier en prenant son air le plus innocent, qui n'a rien d'innocent du tout. Je n'ai rien fait!

— Alors, qu'est-ce que c'est que ça? lui dis-je en prenant la boulette collée sur ma nuque.

— Sais pas, répond Olivier en haussant les épaules et en examinant la boulette. Ton cerveau?

Je passe près de répondre quelque chose de vraiment drôle comme : « Non, je crois que c'est plutôt LE TIEN » quand je pense tout à coup au bonbon tricolore exquis. Ce n'est pas le moment de me laisser distraire. Je dois ignorer ces enfantillages.

— Oh! dis-je en regardant la boulette. Je me demandais où elle était passée. Merci, Olivier!

Ça lui en bouche un coin.

Je place la petite boulette de papier mâché sur le devant de mon pupitre et reporte mon attention sur le problème.

Mais avant même que je puisse commencer à évaluer si l'homme à la barque devrait abandonner, rentrer à la maison et songer à joindre son ami au téléphone, je sens une autre boulette mouillée me pincer la nuque.

— Hé! Hé! Hé! rigole Olivier. Je t'ai encore eu, Tournelle.

J'ai bien envie d'ôter la boulette, de me retourner et de la lui flanquer sous le nez, mais je n'ai pas le temps. J'ai un bonbon tricolore exquis à gagner.

Je prends la boulette collée sur ma nuque et la place à côté de la première boulette, puis je retourne à mon problème.

Une autre boulette me pince.

Puis une autre.

Je pose les deux nouvelles boulettes à côté des deux autres et les examine.

Quatre boulettes.

Je continue à les examiner. Quatre boulettes... quatre boulettes... comme dans le problème de M. Desméninges : quatre éléments... un homme, une chèvre, un loup et un chou.

Je respire à fond quand je comprends que les boulettes pourraient remplacer l'homme, la chèvre, le loup et le chou, et qu'elles pourraient m'aider à solutionner le problème.

Je jette un coup d'œil autour de moi. Personne n'a encore trouvé. Même pas Florence ou David. J'ai encore une chance.

Je pose les boulettes d'un côté de mon pupitre et je place ma règle au centre, en guise de rivière. Puis je prends ma gomme à effacer pour faire le bateau et je dépose la plus grosse boulette dessus.

J'examine ma gomme-bateau avec l'homme-boulette dessus. Et si l'homme laissait le chou avec le loup, et commençait par faire traverser la chèvre? Le chou-boulette serait en sécurité avec le loup-boulette.

Je dépose la chèvre-boulette sur la gomme-bateau et lui fait traverser la règle-rivière. L'homme-boulette débarque la chèvre-boulette sur l'autre rive, puis retraverse la règle-rivière jusqu'à l'endroit où attendent le loup-boulette et le chou-boulette.

J'examine mes boulettes. Je ne peux pas faire traverser le loup-boulette et le laisser avec la chèvre-boulette... et je ne peux pas faire traverser le chou-boulette et le laisser avec la chèvre-boulette... Mais qui a dit que je devais laisser la chèvre-boulette là?

En un instant, je trouve la solution. À force de bouletter, ça saute aux yeux!

Chapitre 14

La solution

Je suis juste sur le point de lever la main quand j'aperçois la main de David qui fend l'air la première.

Je n'arrive pas à le croire.

Tout ce travail!

Toutes ces boulettes!

Tout ça pour rien!

— Oui? dit M. Desméninges. As-tu la réponse?

— Pas encore, monsieur, répond David. Puis-je aller aux toilettes, s'il vous plaît?

— Bien sûr, répond M. Desméninges.

J'ai ENCORE une chance de mettre la main sur le bonbon tricolore exquis!

Mais juste comme je m'apprête de nouveau à lever la main, Janie lève la sienne.

— J'ai la réponse! clame-t-elle.

— Nous t'écoutons, dit M. Desméninges.

— Ma mère dit toujours que tout problème a une solution si on se donne la peine de s'asseoir et d'en discuter, explique Janie. Donc, si l'homme les fait tous asseoir, qu'il leur explique la situation, qu'il demande à la chèvre de ne pas manger le chou et qu'il demande au loup de ne pas manger la chèvre, alors il peut les faire traverser dans l'ordre qui lui plaît.

Janie adresse un charmant sourire à M. Desméninges et demande :

— Est-ce que je gagne le bonbon tricolore exquis?

— Non, je crains que non, dit M. Desméninges.

— Pourquoi donc? demande Janie.

— Parce que ta solution ne tient pas la route, dit M. Desméninges. La chèvre et le loup ne peuvent pas parler.

— Mais le chou parle bien, lui! objecte Florence.

— Oui, réplique M. Desméninges, parce que c'est un chou PARLANT!

— Si les choux peuvent parler, alors pourquoi pas les loups et les chèvres?

— Certains loups et certaines chèvres PEUVENT parler, répond M. Desméninges, mais pas ceux-là.

— Oh! C'est ridicule! s'emporte Florence avec mauvaise humeur.

— C'est peut-être ridicule, dit M. Desméninges, mais pas impossible. Quelqu'un d'autre a la réponse?

Je lève la main.

Olivier se penche vers moi.

— Si tu as l'intention de me rapporter, penses-y à deux fois! siffle-t-il. Je vais dire à M. Desméninges que ce n'est pas moi!

Je me contente de sourire.

M. Desméninges me regarde.

— Alors, as-tu la solution à notre problème?

— Oui, dis-je. Et si l'homme faisait d'abord traverser

la chèvre, revenait ensuite chercher le chou, le faisait traverser et le laissait sur l'autre rive, mais refaisait traverser la chèvre en sens inverse et la laissait sur la première rive pendant qu'il fait traverser le loup, puis laissait le loup avec le chou pendant qu'il retourne chercher la chèvre?

M. Desméninges sourit de toutes ses dents.

— Parfait! dit-il. Quel est ton nom, jeune homme?

— Henri, dis-je. Henri Tournelle.

— Eh bien, Henri Tournelle, déclare M. Desméninges, tu mérites un beau bonbon tricolore exquis. Viens devant la classe.

— Bon travail, Henri! lance Janie quand je me lève.

Je m'avance jusqu'au bureau de M. Desméninges. Il ouvre un porte-documents rouge tout cabossé, en sort un énorme bonbon tricolore exquis et me le remet.

En retournant à ma place, je prends bien soin d'agiter mon bonbon tricolore exquis en direction d'Olivier et de lui murmurer :

— Merci pour les boulettes. Sans elles, je n'aurais jamais pu résoudre le problème.

Olivier me regarde, l'air hébété. Il ne rigole plus du tout.

Je m'assois. Florence lève la main.

— Aurons-nous un test là-dessus, monsieur? demande-t-elle.

Chapitre 15

Fred Rustaud

La sonnerie du dîner retentit avant que M. Desméninges ne puisse répondre à Florence. Tout le monde se lève et sort de la classe.

Dans la cour de l'école, le soleil brille et il fait chaud.

Je me sens bien. Non seulement avons-nous un nouvel enseignant très intéressant, mais en plus, j'ai un bonbon à manger pour dîner. Et ça, ça bat facilement un sandwich au fromage.

Cependant, deux choses se produisent avant que je n'aie le temps de traverser la moitié de la cour d'école.

La première, c'est un gros nuage gris foncé qui passe devant le soleil.

La deuxième, c'est Fred et Olivier Rustaud qui surgissent devant moi.

— Donne-moi le bonbon tricolore exquis, Tournelle, ordonne Fred, la main tendue.

— Il est à MOI, lui dis-je.

— Ce n'est pas ce que mon frère m'a dit, objecte Fred. Il a dit que tu avais gagné ce bonbon grâce aux boulettes de papier mâchouillé qu'il a fabriquées.

— Oui, dis-je, c'est vrai, mais je ne lui avais pas

demandé de me bombarder de boulettes.

— N'empêche, tu t'es servi de SES boulettes de papier mâchouillé, alors donne-moi le bonbon, tranche Fred.

— Pas question, dis-je en commençant à m'éloigner.

Je n'ai pas le temps d'aller bien loin qu'une grosse main s'abat sur mon épaule. Elle me fait faire un demi-tour. Fred tend le bras et m'arrache le bonbon de la main.

— Hé! dis-je en plongeant vers lui pour reprendre mon bonbon.

C'est le moment que choisit Olivier pour tendre sa jambe devant moi.

Au lieu de plonger sur mon bonbon, je trébuche et viens m'écraser sur Fred. Pas très plaisant pour moi, mais encore moins plaisant pour lui.

Mes doigts s'approchent de plus en plus du bonbon. Je suis sur le point de l'attraper quand je sens que mon corps tout entier est soulevé dans les airs.

— Tournelle! lance une voix furieuse. Que signifie tout ceci?

Je sens mes pieds qui touchent le sol. Je suis debout devant Mme Malcommode, qui est encore plus en colère que d'habitude. S'il y a une chose qui la met hors d'elle, c'est bien de pincer des élèves qui se bagarrent dans la cour d'école pendant qu'elle fait la surveillance.

— Eh bien? demande-t-elle en me fixant dans les yeux. Pourquoi attaques-tu ce pauvre Fred?

Je jette un coup d'œil à Fred qui gît par terre. Il se tortille comme s'il souffrait terriblement. Quel comédien!

Si seulement les enseignants savaient ce qu'il est VRAIMENT. Il n'agit pas du tout de la même manière quand ils sont dans le coin.

Je proteste :

— C'est un voleur! Il m'a volé mon bonbon tricolore exquis.

— Jamais de la vie, gémit Fred avec un regard tellement douloureux qu'on jurerait qu'il est en train de prononcer ses dernières volontés. C'est MON bonbon!

— Il a raison, intervient Olivier. C'est bien son bonbon.

Mme Malcommode secoue la tête avec dépit.

— Henri, ce n'est pas digne de l'école Sudest de Nordouest de Centreville! Cela me met très en colère quand des élèves de l'école Sudest de Nordouest de Centreville volent la nourriture d'un autre et se bagarrent dans la cour comme des bêtes! C'est tout à fait inacceptable!

— Mais je n'ai rien fait! dis-je.

— Tu n'as rien fait? répète-t-elle. Es-tu en train de me dire que j'ai un problème de vision? Es-tu en train de me dire que je ne t'ai pas vu attaquer Fred Rustaud?

— C'est lui qui m'a attaqué le premier, dis-je. Il m'a attaqué et m'a volé mon bonbon!

— Ça suffit, tranche Mme Malcommode. Va attendre devant le bureau du directeur. Je vais l'avertir que tu t'en viens. Olivier, aide-moi à emmener Fred à l'infirmerie. Après une attaque aussi brutale, il sera chanceux s'il n'a pas besoin d'une ambulance!

— Mais... dis-je, le souffle coupé par l'injustice de la situation. Mais...

— Plus un mot! siffle Mme Malcommode. File tout de suite au bureau du directeur!

Je secoue la tête et me traîne vers l'édifice administratif. Je marche le plus lentement possible.

Si j'avais su ce que j'allais découvrir dans le bureau de M. Barbeverte, j'aurais plutôt couru pour m'y rendre.

Chapitre 16

Mme Rabat-Joie

Je marche lentement jusqu'au bâtiment principal et prends une grande respiration pour me donner du courage avant d'entrer à la réception. Je n'ai pas peur du directeur – il est plutôt inoffensif – mais je crains Mme Rabat-Joie, la réceptionniste. En m'assoyant sur le banc, je sens déjà son regard désapprobateur qui me transperce.

Mme Rabat-Joie est terrifiante.

Elle déteste les gens qui lui font perdre son temps. Elle a même posé une affichette sur la vitre pour nous le rappeler : « PAS DE PERTE DE TEMPS ».

Si vous vous rendez à son bureau vitré, vous avez intérêt à vous exécuter rapidement et clairement. Ce qui rend la chose difficile, c'est que, quand Mme Rabat-Joie vous regarde, son regard est si pénétrant que vous vous figez sur place et devenez incapable de vous souvenir de la raison qui vous a mené à son bureau.

— Oui? dit Mme Rabat-Joie en faisant glisser sa vitre et en me fixant.

Ses yeux sont comme deux rayons laser qui attaquent mon cerveau et y effacent toutes mes pensées.

Évidemment, j'oublie aussitôt la raison de ma présence ici. Je bredouille :

— Euh... Mm... Mme... Mme Malcommode...

— Mme Malcommode? répète Mme Rabat-Joie. Quoi, Mme Malcommode? Dépêche-toi, mon garçon! Pas de perte de temps! Vide ton sac! Je n'ai pas TOUTE la journée à te consacrer, tu sais!

— Je sais, dis-je. Je... Je suis désolé, madame Rabat-Joie. Je... Je...

— Oh! bonté divine! s'exclame Mme Rabat-Joie. Laisse-moi deviner. Mme Malcommode t'a surpris à faire une bêtise dans la cour d'école et t'a envoyé au bureau du directeur! C'est ça?

Je hoche la tête.

— Je vais avertir M. Barbeverte que tu es ici, dit-elle en me dévisageant. En attendant, assieds-toi sur le banc et tiens-toi tranquille!

Mme Rabat-Joie empoigne le téléphone, mais sans jamais me quitter du regard. Je me fais tout petit sur le banc.

— Il t'attend, dit-elle en raccrochant. Dépêche-toi!

Je me lève, rentre ma chemise dans ma pantalon et je cogne à la porte.

— Montez à bord! lance une grosse voix.

Chapitre 17

Dans le bureau de M. Barbeverte, le directeur

J'entre, me mets au garde-à-vous et le salue.

Le directeur est assis à son bureau, un petit tube de colle à la main. Un modèle réduit de galion espagnol se trouve devant lui. Je le reconnais parce que M. Barbeverte a pris soin de nous enseigner un chapitre complet sur les différents types de bateaux. Je regrette soudainement de ne pas l'avoir écouté avec plus d'attention.

— Repos, matelot, dit le directeur. Mme Malcommode m'a prévenu de ta venue. Assieds-toi.

Je m'assois devant son bureau et jette un coup d'œil dans la pièce. Les murs sont couverts de tableaux représentant des bateaux. Un pavillon servant aux signaux en mer est installé au-dessus de la fenêtre, derrière M. Barbeverte. Dans une armoire vitrée, une paire de pistolets antiques repose sur un lit de velours, dans un boîtier en verre.

— Sais-tu ce que c'est, Henri? demande M. Barbeverte en collant un personnage miniature dans le nid-de-pie du bateau.

— Un bateau de pirates? dis-je.

— Oui, répond le directeur, mais pas N'IMPORTE

LEQUEL. Sais-tu de QUEL bateau de pirates il s'agit?

J'examine le modèle. Il a trois mâts et plusieurs voiles. Un petit drapeau noir orné d'un crâne et d'os blancs flotte au bout du mât central.

— Non, monsieur, dis-je. À mes yeux, tous les bateaux de pirates se ressemblent.

M. Barbeverte lève ses sourcils noirs touffus en signe d'étonnement.

— Eh bien, ce n'est pas le cas! dit-il. Voici le bateau de Barbe-Noire : le *Queen Anne's Revenge*! Je présume que tu as déjà entendu parler du pirate Barbe-Noire?

— Oui, monsieur, dis-je.

— Sais-tu ce que Barbe-Noire faisait subir aux membres de son équipage qui ne suivaient pas ses ordres?

— Non, monsieur.

— Alors, laisse-moi te le raconter, continue le directeur. Barbe-Noire leur bandait les yeux, leur attachait les mains derrière le dos et les forçait à marcher sur une planche fixée sur le côté du bateau, en les piquant dans le dos de la pointe de son épée. Une fois rendus au bout de la planche, les pauvres tombaient à l'eau et étaient mangés par des requins affamés! Que penses-tu de ça, Henri?

Je secoue la tête et dis :

— Je crois que ce n'est pas très gentil, monsieur.

— Pas gentil du tout! s'exclame le directeur en déplaçant soigneusement son modèle réduit pour pouvoir se pencher sur son bureau et me fixer d'un air terrifiant. Alors, si tu avais fait partie de l'équipage de Barbe-Noire, tu te serais sûrement tenu tranquille afin d'éviter d'avoir des ennuis. N'est-ce pas, Henri?

— Oui, monsieur Barbeverte.

— À moins, bien sûr, que tu n'eusses préféré être piqué dans le dos, les yeux bandés, et forcé à marcher sur une planche pour finir mangé par des requins. Tu ne veux pas être mangé vivant par des requins, n'est-ce pas Henri?

Je trouve cette question plutôt inutile, mais M. Barbeverte semble attendre ma réponse.

— Non, monsieur, dis-je en cherchant des yeux une planche au-dessus d'un bassin rempli de requins.

Je n'aurais pas été surpris de trouver un tel bassin dans le bureau.

— Tu sais, Henri, poursuit le directeur, je me fais un devoir de bien mener cette barque! C'est mon travail de protéger ce navire et tous ses occupants des dangers qui les menacent, tant de l'extérieur que de l'intérieur.

— Oui, monsieur Barbeverte, dis-je.

— Mon équipage doit être solidaire! poursuit-il en s'enflammant subitement. Tous sur le pont!

— Oui, monsieur Barbeverte.

— Nous participons tous à une grande aventure, Henri. Il ne faut pas la gâcher en se bagarrant entre nous comme une bande de chiens atteints du scorbut!

— Non, monsieur Barbeverte.

Je ne sais pas exactement de quoi a l'air un « chien atteint du scorbut ». Peut-être fait-il allusion à Brigand. Brigand est le chien errant qui traîne autour de l'école et vole les sacs à lunch dans les casiers qui sont mal verrouillés.

— Mme Malcommode m'a dit que tu avais attaqué Fred Rustaud, déclare le directeur. Qu'as-tu à dire pour ta défense?

— Je n'ai pas attaqué Fred, dis-je. Pas intentionnellement, en tout cas.

— Comment peut-on attaquer quelqu'un accidentellement? demande M. Barbeverte.

Alors, je lui raconte toute l'histoire. Comment M. Desméninges nous a soumis le problème de l'homme, du loup, de la chèvre et du chou, et qu'il nous a promis un bonbon tricolore exquis en récompense. À quel point j'adore les bonbons tricolores exquis et mon désir ardent de gagner ce bonbon. De quelle façon j'ai utilisé les boulettes de papier mâchouillé pour résoudre le problème et ainsi gagné mon bonbon préféré. Et la joie incommensurable que j'ai eue de gagner, à la pensée de manger ce bonbon. Et que ma colère était à la mesure de ma joie lorsque Fred m'a arraché le bonbon des mains et que j'ai simplement voulu le lui reprendre, mais que j'ai trébuché et que je suis tombé sur lui.

— Tonnerre de Dieu, Henri, mon garçon! s'écrie le directeur. Voilà toute une histoire! Je comprends comment tu te sens. C'est terrible de se faire enlever une chose à laquelle on tient.

Je m'empresse d'approuver :

— Ah, oui! C'est terrible!

— Je sais, Henri. Je sais exactement ce que tu ressens, car, moi aussi, j'ai déjà été victime d'un vol terrible.

— Vraiment, monsieur? dis-je.

— Oui, répond-il. Quand j'avais ton âge, dans cette école précisément, mes amis et moi avions l'habitude de jouer aux pirates! Peux-tu imaginer cela, Henri? Des pirates! Difficile à croire, n'est-ce pas?

Assis ici, parmi les modèles réduits de bateaux, les pavillons et les pistolets antiques, c'est très facile à croire, mais je hoche quand même la tête en disant :

— Oui, monsieur.

— Nous passions nos périodes de dîner à voguer autour de la cour d'école sur un bateau de pirates imaginaire, poursuit le directeur. Nous avions même notre propre coffre au trésor que nous avions enfoui quelque part à l'île au Crâne.

— Un trésor enfoui? dis-je, tout à fait attentif à ses paroles à présent.

— Oui, répond le directeur. Nous avions rempli ce coffre des objets les plus précieux. Des objets que nous avions désirés, achetés, empruntés et même, je suis honteux de l'admettre, volés. C'était un trésor incomparable, Henri, cher matelot. INCOMPARABLE! Nous l'avons enfoui à l'île au Crâne et... nous ne l'avons jamais revu.

Plus intrigué encore, je lui demande :

— Que s'est-il passé? Avez-vous perdu la carte indiquant son emplacement?

— Non, répond M. Barbeverte, les yeux embués. Nous n'avons pas perdu la carte. Une semaine plus tard, nous avons déterré le trésor et le coffre était bien là où nous l'avions enfoui, mais il était vide. Il ne contenait plus qu'un message!

— Un message? Que disait-il?

Le directeur prend une grande respiration. Il tend la main vers un coin de son bureau, soulève le couvercle d'un vieux coffre en bois et en retire une feuille de papier. Il la déplie et lit :

De l'école Sudest de Nordouest de Centreville, parcourez les mers,

cherchez parmi les genoux écorchés et les nez de travers,

jamais vous ne retrouverez votre coffre aux splendeurs,

car votre bande de pirates n'est vraiment pas à ma hauteur.

Creusez et fouillez pendant mille et une nuits,

creusez et fouillez tant que vous en aurez envie,

mais de votre trésor, vous ne rêverez qu'en couleurs,

car les pirates de Barbeverte ne sont vraiment pas à ma hauteur.

M. Barbeverte dépose la feuille sur son bureau, juste devant moi.

— Alors, qu'avez-vous fait?

— Nous l'avons cherché, bien sûr. De toute évidence, c'était un défi qu'on nous lançait. Nous avons fouillé et creusé chaque centimètre carré de la cour d'école.

— Et vous ne l'avez jamais trouvé?

— Non, soupire M. Barbeverte. Nous n'avons jamais retrouvé notre trésor.

— À votre avis, qui vous l'a volé?

Le directeur hausse les épaules.

— Sûrement un pirate d'une bande adverse, mais nous

n'avons jamais trouvé qui. Notre trésor de pirates a été volé… par un pirate! À partir de ce jour, nous avons cessé de jouer aux pirates. Ce n'était plus du tout amusant. En ce qui me concerne, Henri, la piraterie n'est plus qu'un synonyme de « vol ».

En essayant d'assimiler tout ce que je viens d'entendre, je m'exclame :

— Ouf! Et où se trouve l'île au Crâne exactement?

— C'est ainsi que nous appelions la butte à côté du terrain de sport, dit-il. Mais là n'est pas la question…

— Le trésor est donc toujours enfoui quelque part sur le terrain de l'école? dis-je.

— Autant que je sache, oui, répond le directeur avec tristesse. Mais les détails importent peu. Tout ce que je sais, c'est que je n'ai jamais revu ce trésor. Je te le jure, Henri, je DÉTESTE les pirates! Ce jour-là, j'ai fait le serment que, plus tard, je deviendrais le directeur de cette école et que je ferais tout en mon pouvoir pour enrayer la piraterie et m'assurer qu'aucun élève ne subirait ce genre de perte ou de déception.

— Êtes-vous CERTAIN qu'ils l'ont enterré à nouveau?

— Aussi certain qu'un homme puisse l'être sur cette Terre, dit-il. Mais peu importe. À présent, il faut oublier ces gamineries et travailler tous ensemble pour s'assurer que la piraterie ne montrera jamais plus son vilain nez à l'école Sudest de Nordouest de Centreville…

M. Barbeverte continue à discourir un long moment de la responsabilité, de la maturité et des chiens atteints de scorbut, mais en vérité, je ne suis pas vraiment attentif à ses paroles. Je suis trop occupé à mémoriser le message et à rêver au trésor perdu depuis longtemps.

Je songe aussi à la façon dont moi, Henri Tournelle, je vais m'y prendre pour retrouver ce trésor.

Chapitre 18

Un trésor!

En sortant du bureau de M. Barbeverte, j'ai l'impression de retourner dans un monde différent de celui que j'ai quitté. Le plancher me semble plus brillant qu'avant. Les médailles et les trophées de sport qui ornent les murs de la réception étincellent comme si on venait tout juste de les polir. Même Mme Rabat-Joie me semble plus gentille... enfin, disons presque aimable.

— Petit garnement! lance-t-elle d'un ton bourru. N'oublie pas de fermer la porte en partant!

J'ai bien dit « presque aimable ».

Je ferme la porte derrière moi et descends l'escalier principal. Je me sens encore triste d'avoir perdu mon bonbon tricolore exquis, mais en même temps, je ne peux pas m'empêcher d'être excité à l'idée de retrouver un trésor enfoui.

Janie, Gaëlle et Lucas sont assis sous les arbres, de l'autre côté du terrain de basket-ball. Janie, Gaëlle et Lucas attendent mon retour. Jacob, lui, s'amuse à redessiner à la craie les lignes du terrain de basket, ce qui sème la confusion parmi les joueurs. C'est un de ses passe-temps favoris.

— Est-ce que ça va, Henri? demande Janie. Il paraît

que tu as été envoyé au bureau du directeur!

— Qu'as-tu fait? murmure Lucas, inquiet.

— Je n'ai rien fait, dis-je. Olivier et Fred ont commencé une bagarre. Mme Malcommode nous a surpris et m'a accusé.

— Ça ne m'étonne pas! s'exclame Gaëlle en frappant son poing droit dans sa paume gauche. J'aurais donc dû aller donner une leçon à ce Fred Rustaud!

— Moi aussi! s'exclame Jacob qui a fini d'embêter les joueurs de basket-ball. J'aurais pu t'accompagner et t'aider quoique… ma main est un peu douloureuse après avoir dessiné autant…

Je m'écrie :

— Non! Que personne n'aille donner une leçon à qui que ce soit! Voyez-vous, Fred et Olivier ne le savent pas, mais ils m'ont rendu un fier service!

— Hein? fait Gaëlle en fronçant les sourcils.

— J'ai appris une chose absolument incroyable pendant que j'étais dans le bureau de M. Barbeverte!

— Le directeur porte une fausse barbe! lance Gaëlle. Je m'en étais toujours douté!

— Non, pas ça, dis-je. Quelque chose de mieux!

— Il porte une perruque? demande Janie.

— Non, dis-je. Encore mieux!

— Tu as aperçu des plans secrets confirmant la démolition de l'école et son remplacement par un parc d'attractions? demande Jacob.

— Non, dis-je. Encore mieux que ça!

— Impossible! proteste Jacob. Qu'est-ce qui est mieux

qu'un projet de démolition de l'école et que son remplacement par un parc d'attractions?

— Un trésor enfoui! dis-je.

— Un trésor enfoui? répète Lucas, le souffle coupé. Où ça?

— Sur l'île au Crâne.

— Sur l'île au Crâne? répète à son tour Jacob. C'est là que vit King Kong, non? Dans le Pacifique Sud?

— Non, ça, c'est dans le film. Notre île au Crâne est juste là, dis-je en désignant la petite butte ronde qui se trouve au milieu de la cour.

— Ce n'est pas une île, fait observer Jacob. C'est juste une vieille butte sans intérêt.

— À tes yeux peut-être, dis-je, mais ce n'est pas ainsi que M. Barbeverte et ses amis la voyaient quand ils fréquentaient cette école. Ils avaient l'habitude de jouer aux pirates et cette butte était leur quartier général. Ils l'appelaient l'île au Crâne. Un jour, ils y ont enfoui un coffre rempli de trésors, mais quand ils sont venus pour le reprendre, ils l'ont trouvé vide. Il n'y avait plus qu'un message dedans.

— Un message? dit Janie. Que disait-il?

Je ferme les yeux et commence à réciter le poème que j'ai mémorisé dans le bureau du directeur :

De l'école Sudest de Nordouest de Centreville, parcourez les mers,

cherchez parmi les genoux écorchés et les nez de travers,

jamais vous ne retrouverez votre coffre aux splendeurs,

car votre bande de pirates n'est vraiment pas à ma hauteur.

Creusez et fouillez pendant mille et une nuits,

creusez et fouillez tant que vous en aurez envie,

mais de votre trésor, vous ne rêverez qu'en couleurs,

car les pirates de Barbeverte ne sont vraiment pas à ma hauteur.

Je poursuis mon récit :

— M. Barbeverte et ses amis l'ont cherché et cherché, mais ils ne l'ont jamais retrouvé. Il est encore enfoui quelque part dans le terrain de l'école.

— Waouh! s'écrie Lucas. Que contient-il, d'après vous?

— Sûrement de l'or! dit Jacob. Et aussi des rubis, des émeraudes et des diamants!

— Des bracelets! ajoute Janie. Des colliers de perles! Des bagues!

— N'oubliez pas les poignards ornés de pierres précieuses et les coupes en argent, poursuit Gaëlle. Les pirates adoraient les poignards ornés de pierres précieuses et les coupes en argent.

— Et des pistoles , ajoute Lucas. Des tas et des tas de pistoles!

— C'est quoi, des pistoles? demande Jacob.

— Je ne sais pas, répond Lucas, mais il y en a sûrement plein dans le trésor.

— Une chose est sûre, dis-je. Tout ce qui se trouve dans ce coffre doit être pas mal vieux à présent et les vieilles choses valent BEAUCOUP d'argent.

— C'est vrai, approuve Janie. Mon oncle a trouvé une vieille, vieille pièce de monnaie et a appris par la suite qu'elle valait DEUX MILLE DOLLARS.

— Deux mille dollars! s'exclame Jacob. Pour UNE SEULE pièce de monnaie! Penses-tu que le trésor de Barbeverte contient des pièces de monnaie?

— Il n'en a pas parlé, dis-je, mais sachant à quel point les pirates aiment les pièces de monnaie, je dirais que c'est très probable.

— TRÈS, TRÈS probable à mon avis, ajoute Gaëlle. Et il y a sûrement plus qu'une pièce de monnaie rare. Il y en a probablement des MILLIERS.

— Des centaines de milliers! renchérit Lucas.

— Peut-être même des millions! ajoute Janie.

— Ne vous emballez pas trop, dis-je.

Mais c'est trop tard : ils s'emballent tous.

— Imaginez tous les trucs amusants qu'on pourrait faire avec un million de dollars! lance Jacob.

— On pourrait organiser une super fête avec tous nos amis! dit Janie.

Gaëlle lance son poing en l'air en signe de victoire et pousse un cri de joie.

— Génial! Suis-je invitée?

— Tu es mon amie, pas vrai? dit Janie.

— Bien sûr que je le suis, répond Gaëlle.

— Alors, tu es invitée! crie Janie.

— Mais TOUT LE MONDE est ton ami! dis-je. Tu vas devoir inviter l'école au complet.

— Je n'ai pas de problème avec ça, réplique Janie. On aura un million de dollars… au moins!

— Et Olivier Rustaud? demande Jacob.

L'inviteras-tu?

— Oui, répond Janie.

— Mais il n'est pas ton ami! réplique Jacob.

— Oui, il l'est, répond Janie. C'est juste qu'il ne le sait pas encore. De toute façon, je devrai l'inviter, car sinon il le dira à son frère, et son frère n'aimera pas ça.

— Excellente déduction, note Gaëlle.

Lucas ne cesse de gigoter, l'air mal à l'aise.

— Qu'y a-t-il, Lucas? demande Janie.

— Je ne veux pas être riche... dit-il.

— Pourquoi?

— Tout cet argent... dit Lucas. Comment le garder en sûreté?

— Tu le mets à la banque, tout simplement, répond Jacob.

— Comment sais-tu qu'il est en sûreté à la banque? demande Lucas.

— Parce que c'est ce que font les banques, répond Jacob. Elles gardent l'argent en sûreté.

— Et que fais-tu des voleurs de banque? continue Lucas. C'est ce qu'ils font : ils dévalisent les banques!

— Voyons, Lucas! Du calme! s'écrie Jacob. Nous n'avons pas encore l'argent et tu t'inquiètes déjà de te le faire voler!

— Ouais, Jacob a raison, dis-je. Nous n'avons pas encore trouvé le trésor. Il nous faut un plan.

— Je propose qu'on se lance tout de suite à sa recherche! intervient Gaëlle.

— Bon plan, Gaëlle! dit Janie.

— Mais si les autres nous voient le chercher? objecte Jacob.

— Bon point, Jacob, note Janie.

— Nous leur dirons que nous ne cherchons PAS de trésor, propose Lucas.

— Bonne idée, Lucas, souligne Janie.

— Lucas a raison, dis-je. C'est important que nous gardions ça pour nous. C'est notre secret. Ce ne sera pas notre trésor tant que nous ne l'aurons pas trouvé. Répétez le serment après moi : « Je jure sur mon cœur que si je babille, je me percerai l'œil avec une aiguille. »

Tous prononcent le serment, sauf Lucas qui s'inquiète au sujet de l'aiguille.

— Une aiguille? dit-il. Je ne veux pas me percer l'œil avec une aiguille!

— Eh bien, ne parle du trésor à personne et tu n'auras pas à le faire! réplique Jacob.

— Mais si je le fais sans faire exprès? insiste Lucas. Si je parle du trésor pendant mon sommeil, par exemple?

— Tu parles pendant ton sommeil? demande Janie.

— Je ne sais pas, répond Lucas. Je dors.

— Alors, ne t'inquiète pas, le rassure Janie. Je suis certaine que tu n'aurais pas à te planter une aiguille dans l'œil dans un tel cas, pas vrai Henri?

— Non, dis-je. Ça, ça irait.

La sonnerie annonçant la fin du dîner retentit. Je déclare :

— Nous commencerons les recherches demain. Souvenez-vous : c'est notre secret. N'en soufflez pas un mot à personne.

Chapitre 19

Passer à l'histoire

— Bonjour, 5C, dit joyeusement M. Desméninges.

— Bonjour, monsieur Desméninges, répondons-nous tous en chœur.

— Et C'EST justement un très bon jour, continue M. Desméninges. Le jour idéal pour faire de l'histoire.

Toute la classe grogne.

Les maths, ce n'est pas terrible, mais l'histoire, c'est pire. Avec Mme Ardoise, nous avons déjà étudié la Rome antique. Tu parles d'un truc monotone! *Maximus monotonus*.

J'avais essayé d'égayer un peu l'affaire en construisant un modèle réduit du volcan qui est entré en éruption et qui a détruit la ville de Pompéi. Je voulais que mon modèle fonctionne vraiment et il l'a fait, mais pas comme je l'avais prévu.

J'avais fait le volcan en argile, en prenant soin de laisser un vide au milieu. Pour recréer l'effet de fumée et de flammes, j'avais rempli le vide de journaux. Lors de ma présentation, j'ai mis le feu aux journaux. Aussitôt, de la vraie fumée et de vraies flammes sont sorties de mon volcan.

En fait, tant de vraie fumée et de vraies flammes en

sont sorties que l'alarme d'incendie s'est déclenchée et que nous avons dû évacuer l'école jusqu'à ce que les pompiers arrivent et mettent fin à l'alerte.

Après cet incident, Mme Ardoise ne m'a plus jamais permis de fabriquer des volcans en modèle réduit, alors je me suis comme désintéressé de l'histoire. Je ne suis pas le seul.

— Levez la main, ceux et celles qui n'aiment pas l'histoire, demande M. Desméninges.

Tout le monde lève la main.

Enfin, tout le monde sauf Florence Fortiche… mais ça, c'était prévisible. Florence Fortiche s'intéresse pratiquement à tout. Moi aussi, en fait. La différence, c'est que moi, je m'intéresse seulement aux choses INTÉRESSANTES. Florence, elle, s'intéresse aussi aux choses ennuyeuses.

— Bon, dit M. Desméninges, il semble que nous soyons minoritaires, Florence. Qui peut me dire ce qui ne va pas avec l'histoire?

— C'est ennuyeux, répond Jacob. Ça parle de vieilles personnes ennuyeuses qui ont vécu il y a des milliers d'années. Ça n'a rien à voir avec nous.

— Tu as tort sur ce point, réplique M. Desméninges. Ça a TOUT à voir avec nous! L'histoire ne se résume pas à ce qui s'est passé il y a des milliers d'années. L'histoire se produit tout le temps!

— Que voulez-vous dire? demande Jacob.

— Par exemple, dit M. Desméninges, qu'as-tu mangé ce matin pour déjeuner?

— Euh... des céréales, répond Jacob.

— ÇA, c'est de l'histoire! s'exclame M. Desméninges.

— Non, réplique Jacob. C'est juste un bol de céréales.

— C'est quand même de l'histoire, insiste M. Desméninges. Ça s'est produit dans le passé et tu n'as rien d'une vieille personne ennuyeuse qui a vécu il y a des milliers d'années.

— Waouh! s'étonne Jacob. Alors ce matin, je suis passé à l'histoire.

— Pas seulement toi, Jacob, reprend M. Desméninges. Nous sommes TOUS passés à l'histoire aujourd'hui. En fait, nous passons sans cesse à l'histoire. Même si nous le voulions, nous ne pourrions pas cesser de passer à l'histoire, car si nous tentions de cesser de passer à l'histoire, le seul fait que nous tentions de cesser de passer à l'histoire deviendrait l'histoire que nous tentons de faire cesser.

M. Desméninges s'arrête, essoufflé par l'excitation de son discours sur notre passage à l'histoire.

— D'ailleurs, cela ne concerne pas que ce matin, poursuit-il. Vos vies entières sont remplies de moments historiques : des moments qui ne s'étaient jamais produits exactement de cette manière auparavant sur la Terre et qui ne se reproduiront jamais plus.

— Donc, quand je me suis coupé le doigt avec le couteau à pain ce matin, c'était de l'histoire? demande Janie.

— Oui! dit M. Desméninges. De l'histoire! Qui d'autre a un moment historique à partager avec nous?

— Quand mon père m'a aidé à tester mon nouvel

ensemble de chimie et que nous avons fait sauter le toit de son atelier! lance Guillaume.

Toute la classe s'esclaffe.

— Encore de l'histoire! confirme M. Desméninges.

Je songe à M. Barbeverte, jeune garçon, en train d'enfouir son trésor. Ça aussi, c'est de l'histoire.

— Aurons-nous un test là-dessus, monsieur? demande Florence en notant tout à une allure folle, juste au cas où.

— Qui sait ce qui se passera dans l'avenir? répond M. Desméninges. Je l'ignore, mais j'ai hâte de le découvrir! Quelqu'un d'autre a-t-il un moment historique à nous raconter?

— La fois où il y avait une araignée dans ma chambre, dit Lucas. Ma mère a grimpé sur une chaise et a essayé de l'attraper avec un verre, mais une des pattes de l'araignée était trop longue. La patte a été coupée par le verre et quand elle est tombée sur le tapis, elle GROUILLAIT encore!

Toute la classe laisse échapper un cri de dégoût.

— Quand vous êtes tombé par la fenêtre, hier, pendant notre leçon de respiration, dis-je.

— Ça, c'est ce que j'appelle de l'histoire! s'exclame M. Desméninges. Qui sait? Dans deux mille ans, les élèves étudieront peut-être ma chute par la fenêtre dans le cadre de leur cours d'histoire. Ils vont peut-être même faire une reconstitution de la scène!

— Génial! s'écrie Jacob. J'adore les reconstitutions!

— Moi aussi! renchérit Gaëlle.

— Moi aussi, dit Florence, pourvu qu'elles soient exactes d'un point de vue historique et pas juste une excuse pour jouer en costume d'époque, pour le simple plaisir de la chose.

— LA VIE est une excuse pour jouer en costume d'époque, juste pour le plaisir de la chose, Florence, précise M. Desméninges. Hé! j'ai une super bonne idée. Pourquoi ne pas jouer tout de suite une reconstitution de la chute d'hier? Nous portons tous des costumes appropriés d'un point de vue historique. Ce sera simplement comme faire un petit tour dans une machine à remonter le temps!

— Je ne crois pas que ce soit une bonne idée, fait remarquer David. Vous auriez pu vous blesser gravement hier.

— Mais je ne me suis pas blessé, n'est-ce pas? réplique M. Desméninges. Et cela, grâce à l'intervention rapide de la classe. Alors, où étions-nous?

— Vous étiez près de la fenêtre, dit Florence en relisant ses notes de la veille.

— À peu près ici? demande M. Desméninges.

— Un petit peu plus à gauche, le corrige Florence.

M. Desméninges se déplace vers la gauche.

— Ici, ça va? demande-t-il.

— Oui, répond Florence. Ensuite, vous avez dit : « Mais je comprends mal que respirer ne soit pas assez amusant pour toi. J'adore respirer. Plus j'absorbe d'air frais et mieux je me sens! » Après ça, vous avez passé tout le haut de votre corps dans la fenêtre.

— Comme ça? demande M. Desméninges en passant tout le haut de son corps dans la fenêtre.

— Oui, approuve Florence, exactement comme ça. Ensuite, vous avez crié : « Inspirez! Comme ceci! » et... et... monsieur Desméninges?

Mais M. Desméninges ne répond pas. Et il y a une bonne raison pour cela. M. Desméninges vient de tomber par la fenêtre... encore une fois!

Chapitre 20

Une impression de déjà-vu

Pendant un instant, toute la classe reste silencieuse.

Puis, un vacarme infernal éclate.

Lucas pousse un cri aigu.

— Déjà-vu! lance Jacob.

— Tu peux le dire, dis-je.

— Déjà-vu! répète Jacob.

— Assez de bêtises! s'exclame Janie. Ce n'est pas drôle!

Nous courons à la fenêtre.

Le bout des chaussures de M. Desméninges est exactement au même endroit qu'hier.

J'attrape sa cheville gauche et crie :

— Gaëlle! Agrippe son autre jambe! David, mets tes bras autour de ma taille. Tous les autres, reprenez la position que vous aviez hier!

— Je vous l'avais dit que ça arriverait! sermonne David.

Je proteste :

— Ça ne change rien au fait que c'est arrivé!

— Mais je L'AVAIS prévenu, insiste David.

Alors, je hurle :

— Contente-toi de nous aider, veux-tu? C'est grave!

— Non, crie M. Desméninges, c'est de l'histoire!

Je tire sur la jambe de M. Desméninges en attendant que le reste de la classe se mette en place.

Il me semble plus lourd qu'hier.

Je tire plus fort.

Je suis en train de l'échapper.

Tandis que j'essaie de le tirer à l'intérieur de la classe, il m'entraîne vers l'extérieur! Je crie :

— Gaëlle! Aide-moi!

— J'essaie! réplique-t-elle.

Je comprends alors que la même chose est en train de se produire pour elle.

Lentement mais sûrement, nous sommes TOUS DEUX entraînés vers l'extérieur... et tout à coup, nous ne sommes plus à moitié sortis de la fenêtre... nous sommes COMPLÈTEMENT dehors!!!

Je suis pendu la tête en bas, la face contre le mur, accroché par les orteils au rebord de la fenêtre.

Gaëlle est à côté de moi, exactement dans la même position.

Nous sommes encore tous deux accrochés aux jambes de M. Desméninges.

C'est alors que M. Desméninges éclate d'un grand rire.

Bon, j'aime bien M. Desméninges.

Je l'aime même beaucoup.

Mais à cet instant précis, je commence à m'interroger sérieusement sur sa santé mentale. Je lui demande :

— Vous allez bien, monsieur Desméninges?

— Je ne me suis jamais senti aussi bien! répond-il.

Alors, une chose très étrange se produit.

Gaëlle et moi, nous nous mettons à rire, nous aussi.

Attention, ne vous méprenez pas : c'est terrifiant de se retrouver dans une situation pareille. Mais le rire de M. Desméninges est tout simplement contagieux.

Pendant ce temps, j'entends le reste de la classe, au-dessus de nous, qui discute de ce qu'il faut faire.

— Je l'avais prévenu! répète David. Je les avais tous prévenus!

— Arrête de faire ton monsieur je-sais-tout, réplique Florence.

— Tu peux bien parler! rétorque David.

— Je ne crois pas que cette discussion soit très utile, intervient Janie. Nous devrions tous unir nos efforts pour les aider.

— Waouh! s'exclame Jacob. C'est le meilleur cours d'histoire de toute ma vie!

Entre deux éclats de rire, je leur crie :

— Hé! si ce n'est pas TROP vous demander, est-ce que quelqu'un pourrait simplement FAIRE quelque chose?

— Que proposes-tu? demande David. Vous êtes trop lourds pour qu'on vous tire à l'intérieur!

— Et si vous alliez chercher un caméscope? suggère Gaëlle. Vous pourriez nous filmer pour l'émission qui diffuse les vidéos maison les plus hilarants?

— Pas besoin de te moquer! lance David.

— Je ne me moque pas, répond Gaëlle. J'adore cette émission de télé et j'ai toujours rêvé d'y participer!

Je me mets à crier :

— Trouvez une échelle! Appelez les pompiers! Je m'en fiche, n'importe quoi! Dites à Guillaume d'enfiler ses chaussures volantes!

— Elles n'ont pas encore été testées, répond Guillaume. Ce serait trop dangereux.

— Pas plus dangereux que la situation dans laquelle nous nous trouvons! lui dis-je.

— Au fait, pourquoi riez-vous autant? demande Janie.

— Je l'ignore! dis-je. Pourquoi rions-nous, monsieur Desméninges?

— Pourquoi pas? répond M. Desméninges. Nous aussi, nous pouvons nous amuser!

— Mais nous pourrions mourir! objecte Gaëlle.

— Raison de plus pour nous amuser pendant que nous en sommes encore capables! lance M. Desméninges.

Puis nous tombons.

Chapitre 21

M. Herbête

Nous tombons, tombons, tombons.

J'ai l'impression que nous tombons pendant une éternité, mais je comprends maintenant qu'il nous a fallu environ une seule petite seconde avant de nous retrouver tous les trois tête première dans une plate-bande.

Je suis le premier à sortir ma tête de la terre molle.

Le fait que nous soyons tombés tous les trois, tête première dans une plate-bande, n'a pas échappé à l'attention du jardinier.

— SORTEZ DE MON JARDIN! hurle M. Herbête de l'autre côté du terrain de sport.

Il court vers nous, sa fourche à la main.

Je sors Gaëlle de la terre.

— Vite, Gaëlle, lui dis-je. Nous devons partir. Donne-moi un coup de main pour sortir M. Desméninges!

La tête de M. Desméninges est encore solidement enfoncée dans le sol.

Nous le tirons de là.

M. Desméninges secoue sa tête pour en faire tomber la terre. Il semble un peu étourdi, mais en forme.

M. Herbête approche.

— Sauve qui peut! crie Gaëlle.

Plus personne ne rit à présent.

Être pendu par les pieds à une fenêtre du deuxième étage peut avoir son petit côté amusant, mais il n'y a rien de drôle à voir M. Herbête s'approcher rapidement en nous menaçant de sa fourche.

Heureusement, nous courons plus vite que lui.

Nous réussissons à faire le tour de l'école et à grimper l'escalier menant au corridor avant qu'il ne puisse nous rattraper.

La classe nous accueille avec de grands cris de joie.

— Je n'arrive pas à croire que vous êtes encore en vie! s'écrie Janie en me serrant dans ses bras.

— Moi non plus! dis-je.

Tout à coup, un hurlement se fait entendre dans le corridor.

La porte s'ouvre avec fracas.

Cette fois, ce n'est pas Mme Malcommode.

C'est pire.

C'est M. Herbête!

— C'est quoi l'idée de détruire mes fleurs? hurle-t-il.

— Nous n'avons pas fait exprès! proteste M. Desméninges. Nous sommes tombés par la fenêtre et, ma foi, il n'y avait pas d'autre endroit où atterrir!

— Vous êtes tombés par la fenêtre? rugit M. Herbête en secouant la tête. Bon sang! Comment trois personnes peuvent-elles tomber par une fenêtre de classe?

Je commence à raconter :

— Nous faisions une reconstitution historique. Voyez-vous...

Sur ces entrefaites, Mme Malcommode entre dans la classe en criant :

— Que signifie tout ce chahut? J'essaie d'enseigner, moi!

— Oh! bonjour, madame Malcommode! lance M. Desméninges. Nous avons eu un petit accident.

— Ils sont tombés par la fenêtre! s'insurge M. Herbête. En plein dans mes fleurs fraîchement plantées.

— N'êtes-vous pas tombé par la fenêtre hier? demande Mme Malcommode.

— Oui, répond M. Desméninges. Comme je vous l'ai dit, ce n'était qu'un petit accident. Ça peut arriver à n'importe qui.

— Quand cela se produit UNE FOIS, on peut parler d'un accident, riposte Mme Malcommode. Mais DEUX FOIS, on parle de stupidité pure! De toutes mes années passées à l'école Sudest de Nordouest de Centreville, je n'ai jamais vu de classe plus bruyante et plus dissipée que celle-ci. Ja-mais!

M. Desméninges affiche un sourire radieux.

— Vous avez entendu ça, 5C? dit-il. Nous venons de passer à l'histoire... une fois de plus!

— Vous serez bientôt de l'histoire ancienne, jeune homme, si vous ne parvenez pas à faire tenir votre classe tranquille, menace Mme Malcommode. C'est moi qui vous le dis.

Sur ces paroles, elle sort de la classe et claque la porte derrière elle.

M. Desméninges se tourne vers nous et nous fait un

clin d'œil.

— Je crois que je lui plais! dit-il gaiement.

— Eh bien, moi, je crois plutôt le contraire, lance M. Herbête en menaçant M. Desméninges de sa fourche, puis en nous menaçant à notre tour. Et je ne vous aime pas non plus. Tenez-vous loin de mes fleurs. Sinon...

Nous hochons tous la tête.

M. Herbête s'éloigne à pas lourds dans le corridor.

— Alors, dis-moi, Jacob, reprend M. Desméninges. L'histoire, est-ce aussi ennuyeux que tu le pensais?

— Non, m'sieur! s'exclame Jacob avec un grand sourire.

Chapitre 22

2e grande leçon de M. Desméninges

L'histoire, ce n'est pas aussi ennuyeux qu'on peut le penser.

Chapitre 23

L'île au Crâne

J'ai aimé cette leçon d'histoire.

J'ai beaucoup aimé cette leçon d'histoire.

Même si j'ai failli y laisser ma peau, j'ai aimé cette leçon d'histoire plus que n'importe quelle autre leçon auparavant.

M. Desméninges n'est pas seulement génial pour enseigner l'histoire, il est aussi génial pour monter des reconstitutions historiques.

Cependant, lorsque la sonnerie du dîner retentit, Jacob, Gaëlle, Janie, Lucas et moi nous précipitons dehors. Manger est la dernière de nos préoccupations : nous avons tous trop hâte de commencer la recherche du trésor enfoui.

Nous dévalons l'escalier, sortons dans la cour et restons plantés là, sous le soleil aveuglant.

— Alors, Henri? demande Jacob. Par où commençons-nous?

— Excellente question, Jacob, dis-je.

— Quelle est la réponse? demande-t-il.

— Je n'en sais rien, dis-je.

— Nous allons devoir nous séparer, déclare Gaëlle. Henri, tu fouilles le terrain de sport. Janie, tu prends les terrains de basket-ball. Jacob, tu peux faire la cour, y compris le bac à sable. Lucas, tu t'occupes des plates-bandes.

— Les plates-bandes? répète Lucas, horrifié. Et que fais-tu de M. Herbête?

— M. Herbête? demande Gaëlle.

— Il va me tuer s'il me prend à creuser dans ses fleurs!

— Bon point, approuve Gaëlle. Gardons les plates-bandes pour la fin. En attendant, tu peux m'aider à faire le devant de l'école. On se retrouve ici dans quinze minutes, d'accord?

Nous hochons tous la tête et partons vers notre secteur de fouille.

Quinze minutes plus tard, nous sommes tous de retour au même endroit et clignons tous des yeux à qui mieux mieux sous le soleil aveuglant.

— Alors? demande Jacob. Quelqu'un l'a-t-il trouvé?

Je secoue la tête. Janie secoue la tête. Gaëlle et Lucas secouent la tête.

— Moi non plus, dit Jacob. Que faisons-nous à présent?

— Les plates-bandes? suggère Janie.

— Non, répond Lucas. Trop effrayant.

— Oubliez les fleurs, dis-je. Si le trésor était caché là, M. Herbête l'aurait trouvé depuis longtemps. Pourquoi n'irions-nous pas plutôt au sommet de l'île au Crâne pour jeter un coup d'œil? On a une bonne vue d'ensemble de l'école, là-haut. Peut-être que cela nous donnerait une piste?

— Excellente idée, Henri, dit Janie. Allons-y!

Nous grimpons au sommet de l'île au Crâne. Non seulement pouvons-nous voir clairement dans toutes les directions autour de l'école, mais nous pouvons aussi voir directement dans la classe de Mme Malcommode.

Elle écrit au tableau d'un air affairé. Je demande :

— Ne sait-elle donc pas que c'est l'heure du dîner?

— Je suis sûre qu'elle le sait, répond Janie. Elle est en train de donner du travail aux élèves qu'elle garde en retenue.

Janie a raison. Cinq élèves sont assis au fond de la classe et ils ont tous l'air misérable.

C'est alors que Fred Rustaud entre dans la classe et tend un sac à lunch à Mme Malcommode. Elle lui sourit, pose le sac sur son bureau et retourne au tableau. Fred lève les yeux et nous aperçoit. Il nous tire la langue, puis sort de la classe.

— Regardez-le lécher les bottes de son enseignante, dit Jacob avec dégoût. Il lui apporte son dîner pendant qu'elle garde ces pauvres enfants en retenue.

— Ça rend malade, renchérit Gaëlle. Il est tellement hypocrite.

— Oubliez Fred, dit Janie, et revenons au trésor enfoui. Quelqu'un voit-il un endroit où il pourrait être enterré?

— Le trésor aurait déjà été trouvé si on pouvait VOIR l'endroit où il est enterré, fait remarquer Jacob.

— M. Barbeverte a-t-il parlé d'une carte? demande Gaëlle.

— Il n'y a pas de carte, dis-je. La personne qui a déterré le trésor puis qui l'a enfoui à nouveau ne voulait pas qu'il soit facile à retrouver. Le directeur est plutôt âgé. Le trésor doit être enfoui depuis au moins 70 ans... peut-être même plus!

Le sol est dur. Je donne un coup de pied avec le bout de mon soulier. Ça fait mal.

— Aïe! dis-je.

— Si près du but et en même temps si loin, soupire Janie.

— Pas étonnant qu'ils ne l'aient jamais retrouvé, ajoute Jacob. C'est sans espoir.

— N'abandonnez pas, dis-je. Avez-vous oublié ce qu'a dit M. Desméninges? Nous passerons à l'histoire... si nous n'abandonnons pas.

— Peut-être que c'est justement en abandonnant que nous passerons à l'histoire, réplique Jacob. As-tu pensé à ça?

— Non, dis-je, parce que je ne vais pas abandonner.

— Dans ce cas, comment vas-tu faire pour trouver le trésor? demande Jacob.

— Nous devons réfléchir comme des pirates, dis-je. Nous devons nous mettre dans leur peau.

— Les pirates portaient des bottes. Si on en avait, ce serait plus facile de se mettre dans leur peau, fait remarquer Lucas.

— Ouais, bon point, Lucas, dit Janie.

— Merci, Janie, dit Lucas en lui adressant un sourire radieux.

— Bon, bon, dis-je, imaginez que vous êtes un pirate et que vous êtes debout ici, dans vos BOTTES, et que vous avez un gros trésor à cacher. Où l'enterreriez-vous?

— Pour commencer, je ne l'enterrais pas, répond

Gaëlle. Je le dépenserais.

— Mais si tu ne pouvais pas le dépenser? dis-je.

— Je l'enterrerais, répond Gaëlle.

Je m'exclame :

— Bon! Enfin, nous avançons! Et où l'enterrerais-tu?

— Dans ma cour, répond-elle.

— Mais tu es un pirate! dis-je. Tu n'as pas de cour, tu vis sur un bateau!

— Alors je ne veux pas être un pirate, déclare Gaëlle. J'aime ma cour. Et je déteste les bateaux.

Je secoue la tête, désespéré.

Cela ne nous avance pas dans notre recherche du trésor. Je songe au message. *Creusez et fouillez pendant mille et une nuits... pendant mille et une nuits... mille et une nuits...* Cette expression me semble familière, mais je n'arrive pas à la replacer.

— Est-ce que ça va, Henri? demande Janie.

— Ça va, lui dis-je. Je réfléchissais simplement au message. Il dit « mille et une nuits ». Qu'est-ce que ça signifie, selon vous?

— Très, très longtemps, répond Jacob.

— Exact, dis-je, mais c'est une drôle de façon de le dire, non?

— Peut-être, dit Janie, mais c'est poétique.

Tout à coup, la lumière se fait.

— C'est aussi le nom d'un livre célèbre : *Les Mille et Une Nuits*!

— Et alors? demande Jacob.

— Alors, il nous faut ce livre! dis-je.

Chapitre 24

M. Sainte-Paix

Heureusement, après le dîner, nous avons une période de bibliothèque. Malheureusement, avant d'y entrer, nous devons écouter le sermon habituel de M. Sainte-Paix.

M. Sainte-Paix est le bibliothécaire de l'école.

M. Sainte-Paix adore sa bibliothèque.

M. Sainte-Paix adore les livres.

M. Sainte-Paix adore le silence.

Le problème de M. Sainte-Paix, c'est qu'il n'aime PAS les élèves qui viennent dans sa bibliothèque, qui déplacent tous les livres et qui rompent le silence avec leur brouhaha.

Nous savons tout cela parce qu'il nous le répète au début de chaque période de bibliothèque. Aujourd'hui encore.

— Vous êtes ici pour trouver un livre et pour le lire, déclare-t-il pendant que nous attendons en rang dans le corridor. Vous n'êtes pas ici pour chuchoter. Vous n'êtes pas ici pour parler. Vous n'êtes pas ici pour rire. Vous n'êtes pas ici pour crier. Vous n'êtes pas ici pour vous affaler sur les chaises, pour dessiner ou pour regarder par la fenêtre. Est-ce bien compris?

— Oui, monsieur Sainte-Paix, répondons-nous en

chœur.

Mais M. Sainte-Paix n'a pas terminé son sermon.

— Vous êtes ici pour LIRE des livres, poursuit-il. Vous n'êtes pas ici pour FEUILLETER des livres. Vous n'êtes pas ici pour ÉCORNER leurs pages. Vous n'êtes pas ici pour ÉCHAPPER des livres par terre, pour LANCER des livres ou pour ÉCRIRE dans des livres. Est-ce bien clair?

— Oui, monsieur Sainte-Paix, répondons-nous.

— Si vous empruntez un livre, poursuite-il, vous devez prendre soin de ce livre! Vous devez le garder dans votre sac à livres en tout temps...

— Même quand nous le lisons? demande Jacob.

— SAUF quand vous le lisez, gros bêta, dit M. Sainte-Paix en levant les yeux au plafond. Vous ne devez ni boire ni manger pendant que vous lisez un livre de la bibliothèque. Vous ne devez pas apporter un livre de la bibliothèque à la plage, car du sable se coincerait dans sa reliure. Vous ne devez pas laisser un livre de la bibliothèque au fond de votre casier, parmi les fruits en décomposition et les sandwiches moisis. Est-ce que je me fais bien comprendre?

— Oui, répondons-nous, encore tout étourdis par les lourdes responsabilités qui incombent aux usagers de la bibliothèque de M. Sainte-Paix.

— Bon, dans ce cas, vous pouvez entrer, dit-il avec réticence.

Nous pénétrons lentement dans la bibliothèque, déposons sans bruit notre dossier de lecture sur une table et nous appliquons ensuite à enfreindre pratiquement tous les règlements que M. Sainte-Paix vient de nous énumérer, ce qui provoque chez le pauvre homme une frénésie de « chut! ».

Je trouve un exemplaire du livre *Les Mille et Une Nuits*. J'examine la table des matières : il y a des histoires de pêcheurs, de princes, de barbiers, d'oiseaux, d'animaux et d'or, mais rien qui concerne les pirates ou les trésors enfouis.

— Alors, sait-on maintenant où est le trésor? demande Jacob.

— Nan, dis-je. Désolé. Fausse alerte.

— Je peux y jeter un coup d'œil, Henri? demande Janie.

— Bien sûr, lui dis-je en faisant glisser le livre sur la table.

— NE FAITES PAS GLISSER LES LIVRES SUR LA TABLE! s'écrie M. Sainte-Paix en apparaissant subitement derrière moi. Combien de fois devrai-je vous le dire? Si vous DEVEZ passer un livre à quelqu'un, donnez-le-lui de main à main!

— Désolé, monsieur Sainte-Paix, dis-je.

Jacob tente d'étouffer un gloussement.

— Chut, Jacob! beugle M. Sainte-Paix. Des gens essaient de lire.

Jacob hoche la tête et M. Sainte-Paix s'éloigne, en quête d'un autre élève à réprimander.

— Hé! Ça, c'est intéressant, dit Janie.

— Quoi donc?

Janie tapote le livre ouvert.

— Il y a ici une histoire intitulée *L'homme ruiné qui redevint riche grâce à un rêve.*

— Oui, dit Jacob, et alors?

— Pense au message, explique Janie, « mais de votre trésor, vous ne RÊVEREZ qu'en couleurs ». C'est un indice! Je suis sûre que c'est un indice!

Je demande :

— Que raconte l'histoire?

— Je ne sais pas encore, répond Janie en feuilletant rapidement les pages. Attendez voir... ça parle d'un homme ruiné qui vivait à Bagdad. Une nuit, il fait un rêve dans laquel un homme lui dit de se rendre au Caire pour faire fortune.

— Il y va? demande Lucas.

— Oui, répond Janie en hochant la tête. Mais une fois là-bas, il est faussement accusé de vol et jeté en prison.

— Tu parles si ça nous aide! commente Jacob.

— Attends! L'histoire ne finit pas là, continue Janie. Le chef de police demande à l'homme pourquoi il est venu au Caire. L'homme lui raconte son rêve. Le chef de police éclate de rire. Il dit à l'homme qu'il a lui-même fait un rêve semblable. Dans son rêve, un homme lui disait de se rendre à Bagdad et de trouver une maison blanche avec une fontaine, car il y avait là un trésor enfoui. Mais le chef de police se croit trop intelligent pour prêter attention aux rêves et il conseille à l'homme d'en faire autant. Cependant, l'homme se rend compte que la maison dans le rêve du chef de police est SA maison à lui. Alors, quand il sort de prison, il retourne immédiatement chez lui, creuse sous sa fontaine et trouve un immense sac d'argent!

— Tant mieux pour lui, dit Jacob, mais je ne vois toujours pas en quoi ça nous aide.

— Moi, oui, dis-je. L'homme s'est rendu jusqu'au Caire pour faire fortune alors que le trésor se trouvait chez lui. Il n'a jamais pensé à chercher dans sa propre cour.

— Pensez-vous que la personne qui a déterré le trésor de l'île au Crâne puisse l'avoir ensuite enfoui au même endroit? demande Janie.

— D'après moi, oui, dis-je. Quoi de plus astucieux que de cacher le trésor à l'endroit précis où une personne l'a déjà cherché? C'est l'endroit par excellence. Barbeverte et ses amis ne regarderaient JAMAIS là!

— C'est vraiment tordu, fait remarquer Janie.

— C'étaient des pirates, dois-je vous le rappeler?

— De SOI-DISANT pirates, rectifie Jacob.

— Des pirates quand même! dis-je.

— Si vous avez raison et que le trésor est vraiment enfoui quelque part à l'île au Crâne, alors ça restreint beaucoup les possibilités, dit Gaëlle. Mais il reste tout le terrain de l'île au Crâne à fouiller. Il va nous falloir des mois pour creuser tout ça.

— Peut-être que oui, dis-je, mais peut-être que non... si nous réfléchissons comme des pirates.

— Si j'étais un pirate, intervient Lucas, je me munirais d'un détecteur de métal.

— Les pirates n'ont pas de détecteur de métal, dis-je.

— Peut-être pas, réplique Lucas, mais Guillaume

Patente, lui, en a sûrement un.

— Lucas, tu es un génie! dis-je.

— Tu le penses vraiment? demande Lucas avec un air terrifié.

— Absolument, dis-je.

— Est-ce que ça veut dire que je vais devoir quitter l'école Sudest de Nordouest de Centreville pour aller à l'école Sudest de Nordouest de Centreville pour les surdoués? Je ne veux pas partir, moi! J'aime ça ici! Là-bas, je serai tout seul! Je...

— Calme-toi, Lucas, dis-je. Je n'ai pas affirmé que tu étais VÉRITABLEMENT un génie. Ce n'est qu'une manière de parler...

— Alors, que veux-tu dire? s'étonne Lucas, l'air encore plus terrifié. Que je suis stupide? Que je vais devoir aller à l'école Sudest de Nordouest de Centreville pour les sous-doués?

— Ne t'en fais pas avec ça, Lucas! dis-je. Tu y es déjà! Tout ce que je veux dire, c'est que c'est une bonne idée de demander à Guillaume Patente de nous aider.

— Oh! soupire Lucas, soulagé. Merci.

— Je ne suis pas certain que ce soit une SI bonne idée que ça, intervient Jacob. Je n'ai jamais vu une invention du père de Guillaume fonctionner réellement.

— Ça vaut quand même la peine d'essayer, dit Janie. Un détecteur de métal qui ne fonctionne pas réellement, c'est tout de même mieux que pas de détecteur de métal du tout!

— Je ne suis pas certain de ça non plus, lâche Jacob.

Chapitre 25

Guillaume Patente

— Alors, demande Janie, vas-tu demander à Guillaume, au sujet du détecteur de métal?

— Chut! fait M. Sainte-Paix en arrivant derrière nous.

— Désolée, monsieur Sainte-Paix, dit Janie.

— Ne dis pas que tu es désolée! réplique M. Sainte-Paix. Tais-toi tout simplement!

Janie hoche la tête en murmurant :

— D'accord. Désolée.

M. Sainte-Paix roule de gros yeux et file vers le prochain problème menaçant la paix de sa bibliothèque : Olivier. Il s'amuse à pousser tous les livres d'une tablette du même côté, de façon que les livres de la tablette opposée tombent sur les pieds de Florence.

Ça, c'est bien Olivier. Il est entouré de livres et la seule chose qui lui vient à l'esprit, c'est de les utiliser pour blesser ou pour embêter les autres élèves.

— Alors? reprend Janie en voyant M. Sainte-Paix occupé avec Olivier. Vas-tu lui demander?

— Oui, dis-je.

— Qu'attends-tu dans ce cas?

— J'attends que M. Sainte-Paix soit occupé ailleurs.

— Il est occupé en ce moment, souligne Janie en indiquant d'un signe de tête M. Sainte-Paix qui oblige Olivier à ramasser tous les livres qu'il a fait tomber.

— C'est bon, c'est bon, j'y vais! dis-je.

Je me lève et vais trouver Guillaume.

Il est plongé dans un livre sur les robots. En fait, il est tellement absorbé par sa lecture qu'il ne m'entend même pas prononcer son nom.

Je lui tape sur l'épaule et répète :

— Guillaume!

Il lève les yeux, tourne lentement la tête et cligne des yeux derrière ses lunettes en m'apercevant.

— Qu'y a-t-il, Henri? demande-t-il.

— J'ai un service à te demander, dis-je.

— Quoi donc?

— Je me demandais si tu avais un détecteur de métal à me prêter.

Guillaume prend un air surpris.

— Pour quoi faire? demande-t-il.

— Oh, rien, dis-je, c'est simplement pour... tu sais... détecter du métal.

Guillaume fronce les sourcils.

— Tu dois être plus précis, insiste-t-il. Quel genre de métal?

— Je croyais qu'il n'y avait qu'une sorte de métal, dis-je.

Guillaume hoche la tête comme s'il était un adulte, et moi, un pauvre enfant ignorant.

— Mais non, dit-il. Il existe plusieurs sortes de métaux.

L'or, l'argent, le bronze, le cuivre, le platine...

— Ça va, Guillaume, je crois que j'ai compris, dis-je en jetant un coup d'œil dans la section des magazines.

M. Sainte-Paix s'y trouve. Il s'occupe de Paméla et de Gina qui, autant que je sache, viennent de renverser un support à magazines en chevauchant leurs chevaux imaginaires. Mais cela ne l'occupera pas éternellement. J'explique à Guillaume :

— Je veux un détecteur de métal qui les détecte tous. Surtout les trésors.

— Les trésors? répète Guillaume. Quel genre de trésor?

J'hésite, ne sachant pas trop à quel point je veux lui révéler les détails de l'affaire. Mais le temps file.

— Un trésor ENFOUI, dis-je.

Guillaume hoche la tête d'un air pensif.

— Je vois. Eh bien, ça change tout.

— Vraiment? dis-je.

— Mais oui, affirme Guillaume. Il se trouve que mon père a travaillé à un détecteur de trésor enfoui. Je ne veux pas t'ennuyer ou t'embêter avec les détails techniques, mais en gros, c'est un détecteur de métal supercomprimé qui peut détecter un trésor, peu importe à quelle profondeur il est enfoui.

Je m'exclame :

— Waouh! C'est exactement ce qu'il nous faut!

— NOUS? répète Guillaume.

— Je veux dire « ce qu'il ME faut », dis-je.

— Tu as dit NOUS, réplique Guillaume. Qui d'autre

est avec toi?

— Oh! juste Janie, Jacob, Lucas et Gaëlle, dis-je.

— Je vois, dit Guillaume.

— Vas-tu nous aider?

— Je peux, répond Guillaume, mais à une condition.

— Laquelle? dis-je.

— Je veux une part égale du trésor.

— Pas question!

— Alors oublie mon détecteur, conclut Guillaume.

J'ai aussitôt des regrets. Je veux ce trésor.

— OK, dis-je.

— Marché conclu, dit Guillaume. Ce soir, j'irai dans l'atelier de mon père pour... euh... « l'emprunter ». Où est le trésor?

— C'est ça le problème, dis-je. Nous l'ignorons.

— Je veux dire : où est-il enterré? demande Guillaume.

— Tu promets de ne pas le répéter?

— Promis.

— Tu jures sur ton cœur que, si tu babilles, tu te perceras l'œil avec une aiguille?

— Tu rigoles? s'exclame Guillaume. L'œil est l'un des organes sensitifs les plus délicats et les plus complexes de notre corps. Je ne vais sûrement pas y planter une aiguille!

— C'est bon, dis-je, mais tu ne le diras à personne?

— Bien sûr que non, répond Guillaume.

— Il est enterré dans le terrain de l'école.

— C'est une zone très vaste, murmure Guillaume. Tu

ne peux pas être un peu plus précis?

— Je serai plus précis demain, quand tu me montreras le détecteur de trésor enfoui.

— D'accord. Retrouve-moi à mon casier demain, à l'heure du dîner, et nous irons à la chasse au trésor.

— Merci, Guillaume, dis-je.

Je me lève, me retourne et tombe nez à nez avec M. Sainte-Paix.

— Chut! fait-il.

Chapitre 26

Le détecteur de trésor enfoui

À 11 h 04 précises, le lendemain matin, nous arrivons au casier de Guillaume.

Le casier de Guillaume est facile à reconnaître. Il y a un gros autocollant rouge dessus, sur lequel il est inscrit : *ULTRASECRET!*

Guillaume nous y attend. Il regarde sa montre.

— Trente-cinq secondes de retard, fait-il remarquer. Vous avez eu un ennui?

— As-tu le détecteur de métal? demande Jacob.

— Ce n'est pas un simple détecteur de métal, réplique Guillaume. C'est un super détecteur de trésor! Tournez-vous, je vais le sortir. Et n'essayez pas de regarder à l'intérieur de mon casier, sinon notre marché ne tient plus.

Personne n'a jamais pu voir à l'intérieur du casier de Guillaume... et pourtant, ce n'est pas faute d'avoir essayé.

— On ne regarde pas! dit Janie. Allez, vous avez entendu Guillaume, tout le monde se tourne maintenant.

Nous nous tournons et nous fermons les yeux.

Nous aurions tous adoré voir quel genre de trucs

Guillaume gardait dans son casier, mais aucun de nous ne veut prendre le risque de perdre le trésor pour ça.

— C'est bon, vous pouvez regarder à présent, annonce Guillaume.

Nous nous retournons. Guillaume tient dans ses mains un long tuyau argent. Un genre de disque volant est fixé à l'une des extrémités. Une boîte de contrôle se trouve au milieu du tuyau. Deux câbles fins partent de l'autre extrémité et montent jusqu'à un casque d'écoute que Guillaume a déjà placé sur ses oreilles.

— Qu'est-ce que c'est censé être? demande Jacob.

— C'est le détecteur de trésor enfoui, évidemment, répond Guillaume très fort. Nous allons l'utiliser pour trouver le trésor enfoui. Tu as oublié?

— Chut! dis-je en regardant autour de moi pour vérifier que personne d'autre n'a entendu. Pas si fort!

— Quoi? demande Guillaume.

Je soulève l'un des écouteurs et lui dit : « Ne crie pas! »

— Désolé, dit-il. C'est à cause des écouteurs. Je ne me rends pas compte que je parle fort.

Il les enlève et les met autour de son cou.

— Alors, qu'est-ce que vous en pensez? N'est-ce pas un appareil magnifique?

— Ne le prends pas mal, mais on dirait un tuyau avec un disque volant au bout, dit Jacob.

— Ça montre toute l'étendue de tes connaissances! réplique Guillaume, vexé.

— Je trouve qu'il est formidable! s'empresse de dire

Janie avant que Jacob ne puisse ouvrir de nouveau la bouche. Ton père doit être VRAIMENT génial!

— Je l'ai aidé, bien sûr, dit Guillaume. Mais oui, en effet, il EST un inventeur de génie. Alors, allez-vous me montrer où se cache ce trésor, oui ou non?

— Je croyais que c'était toi qui allais nous le montrer, ronchonne Jacob.

— Jacob, dis-je, laisse-le tranquille un peu.

— Je pourrais sûrement le trouver sans votre aide, reprend Guillaume, mais ça me prendrait plus de temps. Et puis, un marché est un marché. J'aurai un sixième du trésor, c'est ça?

Nous échangeons tous un regard et hochons la tête.

— Oui, dis-je. Suis-nous.

Nous marchons jusqu'au sommet de l'île au Crâne.

— Il est enfoui quelque part sur cette butte, dis-je, mais nous ne savons pas exactement où.

Guillaume fait un signe de tête.

— Pas de problème, dit-il en tapotant le détecteur de trésor enfoui et en remettant les écouteurs sur sa tête. C'est ici que mon détecteur entre en jeu. Reculez. Je vais le mettre en marche. Ce bidule est pas mal puissant.

— Que va-t-il se passer? demande Lucas en reculant.

— Quoi? crie Guillaume. Je ne vous entends pas! J'ai les écouteurs sur la tête!

Guillaume appuie sur un bouton.

Un bruit strident sort des écouteurs.

Guillaume les enlève précipitamment.

— Qu'y a-t-il? demande Jacob. As-tu trouvé le trésor?

As-tu capté des signaux venant de l'espace?

— Non, répond Guillaume. Le volume était beaucoup trop fort. Le détecteur en est à son premier essai. Il a besoin de quelques réglages.

— Je dirais plutôt de BEAUCOUP de réglages, le corrige Jacob.

Guillaume fait comme s'il n'avait rien entendu. Il règle un cadran et remet les écouteurs.

Cette fois, nous n'entendons pas de bruit strident.

Guillaume marche en faisant de grands cercles autour du sommet de la butte, l'air très concentré.

— Ça fonctionne! s'écrie Janie.

— Comment sais-tu que ça fonctionne? demande Jacob. Il n'a pas encore trouvé le trésor.

Soudain, le détecteur de trésor de Guillaume se met à vibrer.

Le disque de plastique fixé au bout du manche se plaque au sol.

Guillaume enlève ses écouteurs.

— Le trésor est là-dessous, dit-il en adressant un regard de triomphe à Jacob.

— Trouvez-vous un bâton et commençons à creuser, ordonne Gaëlle.

Nous attaquons le sol durci avec nos bâtons.

Nous y mettons toute notre énergie, mais après cinq minutes de creusage effréné, il n'y a toujours aucune trace du trésor.

— Es-tu certain qu'il est ici? demande Jacob.

— C'est ce qu'indique le détecteur de trésor, répond

Guillaume. Et il ne s'est jamais trompé.

— Il n'a jamais été utilisé avant, rétorque Jacob.

— Tu n'es qu'un jaloux, réplique Guillaume.

— Attendez! crie Janie. J'ai trouvé quelque chose!

Nous regardons tous.

À coup sûr, son bâton a touché un morceau de métal. Cela ne ressemble pas à un coffre enfoui et rempli de trésors, mais cela ressemble assurément à du métal.

Elle creuse un peu plus et en sort un petit disque en métal rouillé.

— C'est une pièce de monnaie? demande Gaëlle.

— Non. Mieux encore! s'exclame Janie. C'est un macaron orné d'un bonhomme sourire!

— C'est tout? s'étonne Jacob. C'est ça, le trésor?

— Ma mère dit toujours qu'un sourire n'a pas de prix, souligne Janie, ravie d'épingler son macaron au col de son chemisier.

— Ouais, mais ce n'est quand même pas un trésor, fait remarquer Jacob.

— Non, reconnaît Janie, mais je trouve que c'est un bon signe. Continuons à chercher!

Guillaume remet en marche son détecteur de trésor enfoui. Cette fois, il se rend jusqu'au milieu de la butte avant que l'appareil ne se mette à vibrer et à produire des sons aigus.

— Il y a quelque chose ici, déclare-t-il. Je ne peux pas vous garantir que ce soit le trésor, mais il y a certainement quelque chose.

Nous nous accroupissons et nous mettons à creuser de

nouveau.

Cette fois, nous trouvons un vieux sifflet accroché à une chaîne.

— Il a dû appartenir à M. Dutonus, dit Jacob.

M. Dutonus est l'enseignant d'éducation physique. Il adore utiliser son sifflet.

— Puis-je l'avoir? demande Lucas. J'ai toujours voulu avoir un sifflet. Je pourrai m'en servir en cas de danger.

— Bien sûr, dis-je en lui tendant le sifflet.

Lucas débarrasse le sifflet de sa saleté et souffle dedans. Il fonctionne. Il fonctionne même TRÈS BIEN. Plutôt impressionnant pour un sifflet qui a été enterré pendant des années. Mais aussi impressionnant soit-il, ce n'est pas un trésor.

Guillaume recommence à promener son détecteur de trésor enfoui au-dessus du sol.

Au bout de quelques minutes à peine, le bidule se met à vibrer d'une façon incontrôlable.

Soudain, Guillaume tombe à genoux, puis s'effondre par terre, sur le côté.

De la fumée sort de la boîte de contrôle. Un bruit incroyablement strident se fait entendre dans les écouteurs.

Lucas se met à souffler dans son sifflet.

— Danger! crie-t-il. Reculez, tout le monde! Il y a un dangereux danger!

Il faut le reconnaître : Lucas sait vraiment quoi faire en cas de crise.

Guillaume est encore étendu par terre.

Personne ne sait quoi faire.

C'est à ce moment que le détecteur de trésor enfoui explose avec un bruit terrible.

Guillaume se redresse d'un coup, l'air hébété. Il enlève les écouteurs et se frotte les oreilles.

— Est-ce que ça va? demande Janie en s'agenouillant près de lui.

— J'imagine qu'il a besoin de quelques réglages, dit-il.

— Quelques réglages? répète Jacob. Je crois que c'est « retour à la case départ » pour lui.

Pendant ce temps, Gaëlle est à genoux par terre et elle creuse furieusement à l'endroit où le détecteur de trésor enfoui de Guillaume a explosé.

— Hé! regardez ça! lance-t-elle en brandissant un petit objet. C'est une clé!

Nous nous pressons autour d'elle.

— Je peux la voir? dis-je.

— Bien sûr, répond Gaëlle en me la tendant.

J'enlève la terre qui recouvre la clé et l'examine avec soin. Un crâne et des os y sont gravés.

— Ce n'est pas le trésor, dis-je, mais presque. De toute évidence, nous sommes au bon endroit.

— Au bon endroit pour quoi? demande une voix derrière moi.

Je glisse la clé dans ma poche et me retourne.

C'est Fred Rustaud. Suivi d'Olivier qui regarde par-dessus son épaule.

— Ouais, Tournelle, renchérit Olivier, au bon endroit

pour quoi?

— Pour tester le détecteur de métal de Guillaume, dis-je.

— C'est ce que vous faisiez? demande Fred avec méfiance.

— C'est ça, dis-je.

Fred me dévisage.

— Si tu manigances quelque chose, Tournelle, je vais vite découvrir ce que c'est.

Gaëlle s'interpose entre nous.

— Il ne manigance rien du tout, déclare-t-elle. Allez jouer plus loin, les gars.

Fred la regarde fixement.

— Viens-t'en, Oli, dit-il. On s'ennuie par ici.

Nous les regardons descendre la butte et s'éloigner.

— Ces deux abrutis ont bien fait de partir à ce moment-là, dit Jacob en frappant son poing dans sa paume ouverte. Je m'apprêtais à leur donner une leçon dont ils se seraient souvenus toute leur vie.

— Je croyais que tu avais mal aux doigts, dis-je.

— Ouais, c'est vrai. Mais ça, c'était hier. Aujourd'hui, ça va mieux.

— Super, dis-je en souriant.

Jacob est toujours si brave... une fois que le danger est passé.

— Que fait-on maintenant? demande Janie, visiblement soulagée que cet affrontement hostile soit terminé.

— Nous avons la clé, dis-je. Je dirais qu'il y a fort à parier que le coffre est tout près.

La sonnerie retentit à cet instant.

— Attention, tout le monde : rendez-vous ici demain, à l'heure du dîner, avec des pelles. Et rappelez-vous : pas un mot à personne!

Chapitre 27

Qui a bavassé?

Le lendemain matin, il pleut à verse. Gina et Paméla se précipitent vers moi dès que j'entre dans la classe.

— Henri, dit Gina, connais-tu la nouvelle?

— Quelle nouvelle? dis-je.

— À propos du trésor! s'exclame Paméla.

Je n'arrive pas à le croire. Elles sont déjà au courant! Comment est-ce possible? Et que savent-elles au juste? Comme si de rien n'était, je demande :

— Quel trésor?

— Eh bien, il y a un trésor valant des millions et des millions de dollars caché quelque part sur le terrain de l'école, explique Gina.

— Ouais! renchérit Paméla. Il a été enfoui ici par un vilain pirate, il y a des milliers d'années. Nous allons le trouver et nous acheter une ferme équestre!

— Avec des sentiers de promenade! ajoute Gina.

Pas avec mon trésor, ça non, me dis-je en essayant de ne pas avoir l'air trop agacé.

— Qui vous a parlé de ce trésor? dis-je.

— Ah, c'est un secret, répond Gina.

— Je promets de ne pas le répéter, dis-je.

— D'accord, reprend Gina. C'est Florence qui me l'a

dit.

Je me dirige aussitôt vers le pupitre de Florence. Elle est en pleine conversation avec David. Ils examinent un livre intitulé *Comment trouver un trésor enfoui.* Ils lèvent tous deux les yeux en m'apercevant. Florence s'empresse de glisser le livre sous sa reliure.

— Oui, Henri? dit-elle. Qu'y a-t-il?

Je lui demande :

— De quoi traite ce livre?

— De rien, répond Florence.

— Tu ne songerais pas à chercher un trésor enfoui, par hasard? dis-je.

— Un trésor? répète Florence en secouant la tête avec un peu trop de vigueur. Je ne vois pas de quoi tu parles.

J'insiste :

— Qui vous l'a dit?

— Qui nous a dit quoi? demande David.

— À propos du trésor!

Florence et David échangent un regard. Ils se tournent tous deux vers moi.

— Je sais que vous le savez, dis-je. Et vous savez que je sais que vous le savez. Alors vous seriez aussi bien de me dire qui vous l'a dit. On gagnerait du temps.

— Janie me l'a dit, avoue Florence. Mais c'est un secret, alors ne le répète à personne.

— D'accord, dis-je.

Je vais trouver Janie et lui demande :

— Janie, tu n'aurais pas parlé du trésor à quelqu'un par hasard?

— Non, répond-elle. Je ne crois pas.

— Tu ne CROIS pas?

— Hum... fait Janie en réfléchissant. À bien y penser, j'en ai peut-être parlé à une personne. Mais juste à une. Pas plus.

— Cette personne serait-elle Florence Fortiche, par hasard?

— Oui, dit Janie.

Alors, j'explose :

— Mais pourquoi? Tu avais promis de n'en parler à personne. Tu as prêté serment!

— Je sais, répond Janie avec un air vraiment navré. Je suis désolée, Henri. C'est sorti tout seul.

— Comment quelque chose d'aussi important peut-il simplement « sortir tout seul » ?

— Eh bien, elle m'a demandé ce que nous faisions sur la butte avec Guillaume et son détecteur de métal, et je n'ai pas pu m'empêcher de lui dire la vérité. Je suis incapable de mentir à une amie, Henri! Mais je lui ai fait promettre de n'en parler à personne!

— Elle a bavassé, dis-je. Elle l'a dit à Gina et à Paméla, et ces deux-là le répètent à TOUT LE MONDE!

— Oh! je suis tellement désolée, Henri! s'écrie Janie. Dis, tu ne vas pas me forcer à me planter une aiguille dans l'œil, hein?

— Pas cette fois, dis-je. Mais la prochaine fois, oui!

Jacob se joint à nous.

— Tout le monde est au courant! s'exclame-t-il. Est-ce que Lucas a bavassé? Je le savais. Je savais qu'on ne pouvait pas lui faire confiance. Je le savais!

— Ce n'est pas Lucas, dis-je.

— C'est moi, dit Janie d'une toute petite voix.

— Je le savais! s'exclame Jacob. Je savais qu'on ne pouvait pas faire confiance à une fille! Je le savais!

— Pardon? grommelle Gaëlle, qui arrive derrière Jacob et met sa grosse main sur son épaule. Qu'est-ce que tu disais à propos des filles?

Jacob regarde la main de Gaëlle.

— Oh! fait-il. Hum... Euh... Je disais juste que je savais qu'on pouvait faire confiance à une fille pour trouver un trésor. Les filles sont très bonnes pour retrouver des choses... bien meilleures que les garçons.

— Es-tu SÛR que c'est ce que tu disais? demande Gaëlle.

Jacob hoche la tête et ajoute :

— Sûr-sûr. Je suis même sûr que je suis sûr que je suis sûr que je suis sûr.

— C'est bon, dit Gaëlle en retirant sa main de l'épaule de Jacob. Tout va bien alors.

La seule chose qui ne va PAS bien, évidemment, c'est qu'à présent, tout le monde est au courant pour le trésor!

Chapitre 28

Un matin magnifique

M. Desméninges entre dans la classe au même moment. Il est complètement trempé et siffle joyeusement. Il ôte son manteau et le secoue. L'eau qui en tombe forme une grosse flaque sur le plancher. Puis il le suspend.

— Bonjour, 5C! lance-t-il gaiement. Quel matin magnifique, n'est-ce pas?

— Hum... fait Florence. Je ne voudrais pas paraître impolie, mais il ne fait pas exactement un temps magnifique. La pluie tombe à verse, il y a du tonnerre et des éclairs, et on gèle.

— C'est parfait! réplique M. Desméninges. Je ne pourrais pas demander mieux!

— Êtes-vous en train de nous dire que vous AIMEZ ce temps? demande Florence qui, de toute évidence, n'en croit pas ses oreilles.

— J'adore! s'exclame M. Desméninges.

— Je déteste, réplique Florence. J'aime quand il fait soleil.

— J'aime ça aussi! dit M. Desméninges.

— Comment pouvez-vous aimer le temps ensoleillé ET le temps pluvieux? demande Florence.

— J'aime TOUS les temps! répond M. Desméninges.

C'est ce qui rend la vie intéressante!

— Pas quand le temps est froid et humide, insiste Florence.

— Mais tu n'es pas mouillée en ce moment, n'est-ce pas? demande M. Desméninges.

— Non, reconnaît Florence.

— As-tu froid?

— Non, reconnaît encore Florence. Je suis plutôt bien, à vrai dire.

— Donc, récapitule M. Desméninges, tu es en train de me dire que tu es au chaud et au sec. Qu'est-ce qui contribue à ton bien-être en ce moment, malgré le fait qu'il fait froid et humide dehors, aujourd'hui?

Florence hausse les épaules.

— Qui peut aider Florence? demande M. Desméninges. De quoi Florence pourrait-elle se réjouir en ce moment?

— Elle a une chaise pour s'asseoir? suggère Janie.

— Excellent! dit M. Desméninges. Le mauvais temps n'affecte pas ce fait! Quelles sont les choses pour lesquelles Florence devrait être reconnaissante en ce moment, en dépit du mauvais temps?

— Elle a un pupitre? dis-je.

— Oui! dit M. Desméninges. Continuez!

— Elle a un corps! dit Guillaume.

— Elle a une tête! dit Gaëlle.

— Elle a un cerveau! dit Lucas.

— Oui, crie M. Desméninges. Et pas seulement Florence. Vous en avez tous un!

— Olivier n'en a pas, fait remarquer Jacob.

— Je vais dire à mon frère que tu as dit ça, menace Olivier.

— Merveilleux! s'exclame M. Desméninges. Olivier a un frère à qui il peut tout raconter! Quelle autre chose vous fait vous sentir reconnaissants envers la vie?

— Les combats de bras de fer! lance Gaëlle.

— La crème glacée! lance Jacob.

— Les pansements! lance Lucas.

— Les amis! lance Janie.

— Excellent! dit M. Desméninges alors qu'un éclair illumine la classe, suivi d'un roulement de tonnerre tellement bruyant qu'on jurerait qu'il a éclaté à quelques mètres du toit. Maintenant, répétez toutes ces choses avec cœur. Ces choses vous réjouissent. Elles embellissent votre vie. Criez-le comme si c'était vraiment le cas.

— LES COMBATS DE BRAS DE FER! crie Gaëlle.

— LA CRÈME GLACÉE! crie Jacob.

— LES PANSEMENTS! crie Lucas.

— LES AMIS! crie Janie.

— Je ne vous entends pas! crie M. Desméninges. Grimpez sur votre pupitre et dites-le-moi encore!

— LES COMBATS DE BRAS DE FER! hurle Gaëlle.

— LA CRÈME GLACÉE! hurle Jacob.

— LES PANSEMENTS! hurle Lucas.

— LES AMIS! hurle Janie.

M. Desméninges sourit de toutes ses dents.

— C'est mieux, dit-il. Maintenant, continuez à répéter ces choses pendant que tous les autres grimpent sur leur pupitre et crient bien fort ce qu'ils préfèrent!

— Aurons-nous un test là-dessus, monsieur? demande Florence.

— Oui, répond M. Desméninges. Plus vous êtes joyeux, meilleure sera votre note.

— Mais... Comment allez-vous le savoir? demande Florence.

— Je ne le saurai pas, explique M. Desméninges, mais VOUS le saurez.

— Hein? s'étonne Florence. Quel genre d'examen est-ce donc?

— Un examen très important! affirme M. Desméninges. Mais ne me crois pas sur parole. Essaie-le plutôt et vois par toi-même.

Personne n'a besoin de plus d'encouragements.

Chaque élève de la classe 5C grimpe sur son pupitre et se met à crier à tue-tête le nom de la chose qu'il préfère.

— LE CHOCOLAT!

— LES FINS DE SEMAINE!

— LES FILMS!

— LES ORDINATEURS!

— LES PINGOUINS!

— LES PONEYS!

— LES MOTOS!

— LES GRANDS-MÈRES!

— LES PONEYS!

— LES CROUSTILLES!

— LES DINOSAURES!

— LA MUSIQUE!

— LA BOUE!

— LES PIRATES!

— LES TRÉSORS!

Nous faisons plus de bruit que l'orage qui fait toujours rage dehors. Cela n'échappe pas à l'attention de Mme Malcommode qui apparaît à la porte de la classe, le visage rouge et le souffle haletant.

— J'essaie d'enseigner l'algèbre! crie-t-elle.

— Ah! voilà une chose que personne n'a mentionnée! fait remarquer M. Desméninges.

— L'ALGÈBRE! crie Florence.

Mme Malcommode regarde Florence et dit :

— Toi qui étais une fille si douce et si gentille. Qu'est-ce qui s'est passé, Florence?

— L'ALGÈBRE! crie encore Florence.

Mme Malcommode hausse les épaules, secoue la tête et s'adresse de nouveau à M. Desméninges.

— C'est votre faute! gronde-t-elle. Cette école était un endroit tranquille et discipliné avant votre arrivée.

— La tranquillité et la discipline d'une école ne garantissent pas que les élèves y apprennent quelque chose, réplique M. Desméninges.

— En tout cas, je ne vois pas ce qu'ils apprennent, grimpés sur leur pupitre, à crier à tue-tête! hurle Mme Malcommode. Je suis peut-être vieux jeu, monsieur Desméninges, mais je crois que, pour apprendre, un élève doit être ASSIS à son pupitre et non DEBOUT dessus. Je vais rapporter cet incident à M. Barbeverte! Si vous n'êtes pas capable de maintenir l'ordre, je suis certaine que lui l'est.

Mme Malcommode tourne les talons et se dirige vers la porte.

— L'ALGÈBRE! crie Florence, déclenchant ainsi une autre série de cris enthousiastes parmi les élèves.

Chapitre 29

Une idée brillante

Heureusement, le soleil reparaît à l'heure du dîner.

Malheureusement, l'île au Crâne est remplie de chasseurs de trésors de la classe 5C. Tous creusent furieusement le sol. Ils s'aident de bâtons, de règles, de crayons, de stylos et même de leurs mains nues.

Janie, Gaëlle, Jacob, Lucas et moi sommes plantés au bas de la butte. Nous les observons. Guillaume n'est pas avec nous. Il est trop occupé à réparer son détecteur de trésor enfoui.

— Nous devons les arrêter! s'indigne Jacob. Ils essaient de nous voler notre trésor!

Janie est prise de panique.

— Je suis tellement, tellement désolée. Je suis une idiote. J'ai tout gâché, se lamente-t-elle. Il y a trop de gens qui le cherchent! Ils vont finir par le trouver avant nous! Et tout ça, c'est ma faute!

— Ne t'inquiète pas, lui dis-je. Nous allons le trouver.

— Trouver QUOI? fait une voix derrière moi.

Je me retourne d'un bloc.

C'est Fred.

— Je ne sais pas de quoi tu parles, Fred, dis-je.

— Moi, je crois que tu le sais! lance-t-il.

— Non, je ne le sais pas!

— Il le SAIT! lance Olivier à son tour.

— Il ne le sait pas! répond Gaëlle.

— Oui, il le sait! insiste Olivier. Et vous aussi, vous le savez!

— Non, ils ne le savent pas! riposte Jacob. Ils ne savent rien. Et moi non plus. Ni Lucas. Ni Janie. Personne d'entre nous ne sait quoi que ce soit à propos de quoi que ce soit. Et de toutes les choses à propos desquelles nous ne savons rien, nous ne savons particulièrement rien à propos des trésors secrets!

— Un trésor secret, hein? répète Fred. Si c'est un secret, comment se fait-il que VOUS soyez au courant?

Jacob respire profondément avant de répondre, puis change d'idée.

Il ne sait plus quoi répondre.

Fred a été plus malin que lui.

Pour un crétin, Fred peut se montrer plutôt malin à l'occasion.

Mais pas aussi malin que moi.

Mes pensées se bousculent.

Mon cerveau n'a jamais pensé aussi vite de toute ma vie.

Quand tout à coup j'ai un éclair de génie!

L'idée la plus brillante que j'aie jamais eue. Du moins, au cours de cette matinée.

J'ai une idée qui ne fera pas qu'écarter Fred de notre chemin, mais qui va aussi nous aider à débarrasser l'île au Crâne de tous ces chercheurs de trésors indésirables.

Je vais dire la vérité à Fred. Enfin, presque.

— C'est bon, Fred, dis-je. Tu as gagné. Tu es vraiment trop malin pour nous. Il y a BEL ET BIEN un trésor.

— Je le savais! s'écrie Fred.

— Je te l'avais dit! ajoute Olivier.

— Henri! s'insurge Jacob.

Je poursuis :

— Non, Jacob. Plus de mensonges. Il est temps de dire la vérité. Il y a plusieurs années, alors qu'il était un élève de l'école Sudest de Nordouest de Centreville, M. Barbeverte a enterré un trésor ici. Et ce trésor y est toujours.

— Comment as-tu appris ça? demande Fred.

— Je l'ai découvert quand j'ai été envoyé à son bureau, l'autre jour, dis-je.

Fred me regarde avec méfiance.

— Comment je peux être sûr que tu dis la vérité?

— Je peux le prouver, dis-je. J'ai une carte.

— Tu as une carte? s'écrie Gaëlle, ahurie.

— Oui, dis-je. Je l'ai chipée au directeur pendant qu'il ne regardait pas. Elle indique l'emplacement exact du trésor.

— Pourquoi ne NOUS l'as-tu pas dit avant? demande Jacob.

— Désolé, dis-je, mais je ne voulais pas que tout le monde le sache. J'ai inventé toute l'histoire au sujet de l'île au Crâne pour protéger le véritable emplacement du trésor. Mais c'est inutile : Fred est trop malin pour nous.

— Ah, ouais? Depuis quand? demande Gaëlle en serrant son poing.

— N'y pense même pas, Coup-sec, menace Fred. Je veux cette carte, Tournelle.

— Que me donneras-tu en échange?

— Ce n'est pas tant ce que je te DONNERAI que ce que je ne te DONNERAI PAS. Si tu me donnes la carte, je ne te donnerai pas un mal de tête en serrant ton cou assez fort pour que ta tête éclate comme un vulgaire bouton d'acné.

— Que je te voie essayer, grogne Gaëlle.

— Que je te voie essayer de m'en empêcher, répond Fred.

— Que je te voie essayer de m'empêcher d'essayer de t'en empêcher! réplique Gaëlle.

Lucas se tient prêt à souffler dans son sifflet.

Je pose ma main dessus pour l'en empêcher et dis à Fred :

— Marché conclu.

— Quoi? s'écrie Jacob. Espèce de traître! Ne lui donne PAS la carte!

Je réplique :

— Facile à dire, ce n'est pas ton cou qui va être serré assez fort pour que ta tête éclate comme un vulgaire bouton d'acné.

— On peut arranger ça très facilement, intervient Fred.

— Non merci, dit Jacob en secouant la tête puis en se tournant vers moi. Je croyais que nous étions amis, Henri.

Je constate que je me suis trompé. Je m'en vais.

— Moi aussi, annonce Gaëlle en secouant la tête avec dégoût. Viens-tu, Lucas?

Lucas hoche tristement la tête et suit Gaëlle et Jacob.

Janie a de la difficulté à me regarder. Je ne l'ai jamais vue aussi triste ni aussi scandalisée.

— Un véritable ami nous aurait parlé de la carte, déclare-t-elle avant de rejoindre les autres.

Je hausse les épaules.

— Tu fais bien de te débarrasser de tous ces bozos, dit Fred. Maintenant, donne-moi la carte. Je n'ai pas que ça à faire, tu sais.

— Je ne l'ai pas avec moi, lui dis-je. Je l'ai laissée à la maison. Je te l'apporte demain.

— Tu as intérêt à me l'apporter, Tournelle, rétorque Fred d'un ton menaçant. Première heure demain. Avant l'école.

— Ouais, renchérit Olivier. Tu as intérêt, sinon...

Fred et Olivier s'éloignent en ricanant vers la cafétéria pour dîner.

J'attends de les voir s'engouffrer dans l'école, puis je file retrouver les autres.

Je leur dois quelques explications.

Chapitre 30

Un double-traître rusé

Je trouve Gaëlle, Jacob, Lucas et Janie à notre endroit préféré, près du terrain de basket-ball.

— Que fais-tu ici? demande Jacob. Tes nouveaux amis ne veulent plus jouer avec toi?

— Ce ne sont pas mes amis, dis-je. Vous êtes mes amis!

— En tout cas, tu n'agis pas comme si nous l'étions, dit Gaëlle. Les vrais amis se font confiance.

— Je vous fais confiance, dis-je.

— Alors, pourquoi ne nous as-tu pas parlé de la carte? demande Janie.

— Parce qu'il n'y a pas de carte, dis-je.

— Comment ça? demande Lucas, perplexe. Tu viens juste de dire à Fred que tu AS une carte! Si tu ne lui donnes pas de carte, il va te serrer le cou assez fort pour que ta tête éclate comme un vulgaire bouton d'acné.

— Je vais lui donner une carte, c'est sûr, dis-je. Je vais lui donner une FAUSSE carte sur laquelle l'emplacement du trésor sera aussi éloigné que possible de l'île au Crâne. Comme ça, nous serons débarrassés de Fred et d'Olivier. En plus, nous nous assurerons que tout le monde connaît le nouvel emplacement du trésor. De cette façon, nous aurons de nouveau l'île au Crâne rien qu'à nous.

— Quelle belle ruse, Henri! s'exclame Janie. Je le savais que tu n'étais pas un traître.

— À vrai dire, j'en suis un, dis-je. Je vais trahir Fred en lui donnant une fausse carte.

— Ah, ouais... dit Janie en fronçant les sourcils.

— Puis, pour compliquer les choses, je vais retrahir Fred en lui disant que je vous ai dit que la carte est fausse pour vous inciter à continuer à creuser sur l'île au Crâne où nous savons que le trésor est VÉRITABLEMENT enfoui.

— Waouh! s'exclame Janie, admirative. Tu es un DOUBLE-traître rusé!

— Très malin, Henri, approuve Jacob. Une question, cependant : où allons-nous trouver une fausse carte au trésor?

— Nous allons en FABRIQUER une, bien sûr, dis-je.

— Et comment allons-nous faire ça? demande encore Jacob.

— Facile! dis-je.

Chapitre 31

Comment fabriquer une fausse carte au trésor

1. Rendez-vous au local d'arts plastiques.

2. Dites à Mme Pastel, l'enseignante d'arts plastiques, que vous aimez tous tellement les arts plastiques que vous ne pouvez pas attendre le prochain cours hebdomadaire et que vous voulez travailler pendant l'heure du dîner. Elle sera ravie de vous donner accès au local. Elle adore les élèves enthousiastes.

3. Dressez la liste du matériel nécessaire à la fabrication d'une fausse carte au trésor :

Du papier.

Des crayons.

Du thé froid.

Une chandelle.

Une boule d'ouate.

Un ruban.

4. Demandez le matériel à Mme Pastel.

5. Dessinez un plan de l'école. Demandez à Jacob de le faire, car il est le meilleur en dessin et qu'il peut dessiner de vraies belles cartes.

6. Dessinez un crâne et des os croisés dans le coin supérieur droit de la feuille.

7. Dessinez une rose des vents dans le coin inférieur gauche de la feuille.

8. Écrivez NORD dans le haut de la carte, SUD dans le bas, EST à droite et OUEST à gauche.

9. Marquez d'un X le faux emplacement du trésor.

10. Chiffonnez la feuille.

11. Dépliez-la et aplatissez-la.

12. Chiffonnez de nouveau la feuille.

13. Dépliez-la et aplatissez-la de nouveau.

14. Chiffonnez de nouveau la feuille.

15. Dépliez-la et aplatissez-la de nouveau.

16. Disputez-vous avec Jacob au sujet du nombre de fois que vous devez répéter ces opérations pour donner à la carte un cachet vieillot authentique.

17. Tamponnez la carte à l'aide de la boule d'ouate trempée dans le thé froid. Cela donnera à votre carte un aspect brun vieillot tout à fait authentique.

18. Prenez garde de ne pas utiliser du thé chaud, lequel brûlerait vos doigts si vous y trempiez votre boule d'ouate. (Demandez à Lucas.)

19. Si Lucas se brûle les doigts et que, ce faisant, il renverse tout le thé sur la carte, jetez celle-ci et répétez les étapes 5 à 17. La prochaine fois, ne laissez pas Lucas s'approcher du thé.

20. Allumez la chandelle et brûlez délicatement les bords de la feuille de papier. Cette opération donnera à votre carte un aspect de carte-de-pirates-aux-bords-brûlés tout à fait authentique. Pour ce faire, vous devrez bien sûr obtenir l'aide de Mme Pastel parce qu'il est très facile de

mettre le feu à la carte accidentellement. (Demandez à Lucas.)

21. Si Lucas met le feu à la carte, utilisez le reste de thé froid pour éteindre le début d'incendie. Répétez les étapes 5 à 20 et ne laissez pas Lucas s'approcher de la chandelle.

22. Discutez de la raison pour laquelle les cartes au trésor ont les bords brûlés. (Janie pense que c'est parce que les pirates étaient vraiment négligents et qu'ils échappaient sans cesse leurs choses dans le feu. Quand je fais remarquer qu'ils vivaient sur des bateaux, en plein milieu de l'océan, Jacob explique que les océans étaient beaucoup plus enflammés à l'époque des pirates. Cette explication ne tient pas la route!)

23. Séchez la fausse carte au trésor à l'aide d'un sèche-cheveux.

24. Roulez-la et attachez-la avec le ruban. C'est ainsi que les pirates faisaient, car les bandes élastiques n'avaient pas encore été inventées.

25. Et voilà! Le tour est joué! Vous êtes maintenant les fiers propriétaires d'une véritable fausse carte au trésor de pirates tout ce qu'il y a de plus vraie et authentique!

Chapitre 32

La fièvre du trésor!

Quand j'arrive à l'école le lendemain matin, je sais déjà que la rumeur du trésor s'est répandue comme une traînée de poudre.

Comment en suis-je si sûr?

Parce que je peux voir, même avant d'avoir franchi l'entrée, que presque tous les élèves de l'école le cherchent.

Partout où il y a un bout de pelouse ou de terre, il y a des élèves qui creusent un trou.

Même où il n'y en a pas : je vois des élèves essayer de creuser un trou dans l'asphalte. Ils n'avancent pas très vite, mais au moins, ils essaient.

Il y a des élèves qui creusent devant l'école.

Il y a des élèves qui creusent sur le terrain de sport.

Un garçon est même en train de creuser dans les boîtes à fleurs installées sous la fenêtre du bureau de M. Barbeverte.

M. Herbête est partout à la fois, il court comme un fou pour chasser les élèves du terrain de sport et des plate-bandes. Mais son combat est perdu d'avance. Dès qu'il chasse un groupe d'élèves d'un endroit, un autre groupe s'installe ailleurs.

Toute l'école a attrapé la fièvre du trésor!

Toute l'école est devenue dingue!

Malheureusement, je ne vais pas arranger les choses. En fait, pour que mon plan fonctionne, je dois même empirer la situation. La première étape consiste à donner la carte à Fred Rustaud. La deuxième étape consiste à faire en sorte que tout le monde SACHE que Fred a une carte. La première étape est plutôt facile à accomplir, car Fred et Olivier m'attendent à l'entrée de l'école.

—Tiens, si ce n'est pas mon bon ami Henri Tournelle! lance Fred en souriant. As-tu ma carte au trésor?

— Bien sûr, dis-je en la lui tendant. Bonne chasse au trésor!

Fred et Olivier défont le ruban, déroulent la carte et l'examinent rapidement.

— C'est quoi le X? demande Olivier.

— C'est l'endroit où le trésor est enfoui, idiot! répond Fred.

— Quoi? En plein milieu du bac à sable des petits?

— Eh bien, si c'est là qu'est le X, dit Fred en fronçant les sourcils. Attends une minute! Quelque chose cloche...

— Ça ne peut pourtant pas être plus clair, dis-je.

— Si tu connaissais l'emplacement, continue Fred, alors pourquoi creusais-tu sur la butte avec tes amis?

— Je croyais que tu avais deviné, lui dis-je. Je les trahissais. Je ne voulais pas qu'ils sachent où le trésor est VÉRITABLEMENT enterré. Je voulais faire mes propres recherches dans le bac à sable, tout seul, après la classe.

Fred hoche la tête en signe d'approbation.

— Tu es un malin, Tournelle. Un vrai petit malin. Mais que je ne t'attrape pas à creuser dans le bac à sable, sinon… tu vas le regretter.

— Ne t'inquiète pas, lui dis-je. J'ai mieux à faire que d'essayer de trahir quelqu'un d'aussi intelligent que toi. D'ailleurs, si tu veux, je vais continuer à creuser sur la butte. Comme ça, personne ne viendra t'embêter.

— Tu ne crois pas qu'ils vont se méfier? demande Fred. Ils vont savoir que tu m'as donné une carte et ils vont me voir creuser dans le bac à sable.

— Je leur dirai que je t'ai donné une FAUSSE carte au trésor! dis-je.

Fred sourit.

— Bon travail, Tournelle. Tu es plutôt malin pour un crétin.

— Merci, dis-je en sentant ma tête commencer à tourner.

Décidément, c'est compliqué de trahir les gens!

Et je ne suis pas encore au bout de mes peines.

Chapitre 33

Reconquérir l'île au Crâne

Après avoir quitté Fred, je m'assure que le plus de personnes possible à l'école savent que :

1. Fred Rustaud possède la carte indiquant le véritable emplacement du trésor.

2. Le trésor est enfoui dans le bac à sable des petits.

Pour parvenir à mes fins, je raconte tout à Gina et à Paméla. Si vous avez un secret que vous ne tenez pas à garder secret, vous n'avez qu'à le confier à Gina et à Paméla. De cette façon, vous êtes sûr que toute l'école sera au courant. Elles couvrent pas mal de terrain sur le dos de leurs chevaux imaginaires.

La preuve : la nouvelle se répand à toute vitesse.

À l'heure du dîner, l'île au Crâne est de nouveau à nous.

Nous nous rendons directement à l'endroit où nous avons trouvé la clé.

— Bien joué, Henri! s'écrie Jacob. Nous sommes les seuls à creuser ici!

— Tous les autres sont dans le bac à sable, rapporte Janie qui se tient au sommet de la butte. C'est noir de monde, là-bas.

— Je ne crois pas que Fred va être très heureux de ça,

fait remarquer Lucas.

— Fred n'est jamais heureux de quoi que ce soit, souligne Gaëlle. Même s'il trouvait le trésor, je crois qu'il ne serait pas heureux.

— Ouais, ajoute Jacob. En tout cas il a autant de chance de trouver un trésor dans ce bac à sable que de trouver une cervelle dans la tête de son frère!

Nous éclatons tous de rire.

— Allons, dit Gaëlle. Nous perdons du temps. Creusons!

Jacob et Gaëlle ont tous deux apporté une bêche de la maison. Cela rend le creusage beaucoup plus facile, surtout que le sol est bien plus meuble après la pluie.

Au bout de quinze minutes, nous avons déjà un trou très profond et très impressionnant.

Mais pas de trésor.

— Où est-il? demande Gaëlle. Nous avons trouvé la clé ici. Le trésor devrait être tout près.

— Peut-être qu'il a changé de place avec le temps? suggère Janie.

— Comment serait-ce possible? demande Jacob. Tu creuses un trou. Tu mets le trésor dedans. Tu remplis le trou. Le trésor ne peut aller nulle part.

— Il y a peut-être eu un tremblement de terre, suggère Janie.

— Un tremblement de terre? répète Lucas avec un air effrayé.

— Ne t'inquiète pas, Lucas, le rassure Jacob. Il n'y a pas de tremblements de terre dans la région. Pas de

tremblements de terre. Pas de tornades. Pas d'inondations. Pas d'incendies. De tous les endroits sur Terre où l'on peut vivre, notre région est de loin la plus ENNUYEUSE.

— Moi, j'aime ça vivre ici, dis-je. Crois-le ou non, Jacob, je n'ai aucune envie d'être secoué par un tremblement de terre, aspiré par une tornade, balayé par une inondation ou brûlé vif dans un incendie.

— Henri, sermonne Janie, tu fais peur à Lucas.

— Désolé, dis-je à Lucas en lui tapotant l'épaule. Ne t'inquiète pas, tu es en sécurité ici.

— Tu risques seulement de tomber dans un gros trou, ajoute Jacob.

— Mince! s'exclame Lucas.

— Bon, maintenant qu'on a tiré ça au clair, dit Gaëlle, est-ce qu'on se remet à creuser?

— Certainement pas! tranche une voix familière.

Mme Malcommode est en train de grimper la butte et vient droit vers nous.

— Je ne sais pas à quoi vous pensez, bande de garnements, pour creuser des trous aussi gros et aussi dangereux, mais vous allez me remplir ça immédiatement. Ensuite, vous retournerez en classe!

— Mais l'heure du dîner n'est pas terminée, fait remarquer Jacob.

Mme Malcommode fixe Jacob.

— Quand vous aurez fini de remplir ce trou, elle le sera, déclare-t-elle.

— Mais tout le monde creuse des trous, proteste Gaëlle.

— Ce n'est pas parce que tout le monde fait quelque chose qu'il s'agit de quelque chose de bien, retorque Mme Malcommode. Remplissez-moi ce trou avant que quelqu'un ne tombe dedans et ne se blesse, ou je vous envoie tous les cinq au bureau du directeur.

Gaëlle et Jacob commencent à remplir le trou pendant que Mme Malcommode descend la butte d'un pas décidé.

— Pourquoi s'attaque-t-elle à nous? demande Lucas.

C'est une bonne question.

J'ignore la réponse, mais je vais l'apprendre bientôt.

Pour le moment, Gaëlle, Janie, Lucas et moi, nous nous mettons à quatre pattes pour remplir le trou. Tout ce que je sais, c'est qu'en fin de compte, cette chasse au trésor nous occasionne énormément de travail... et pas beaucoup de plaisir.

Chapitre 34

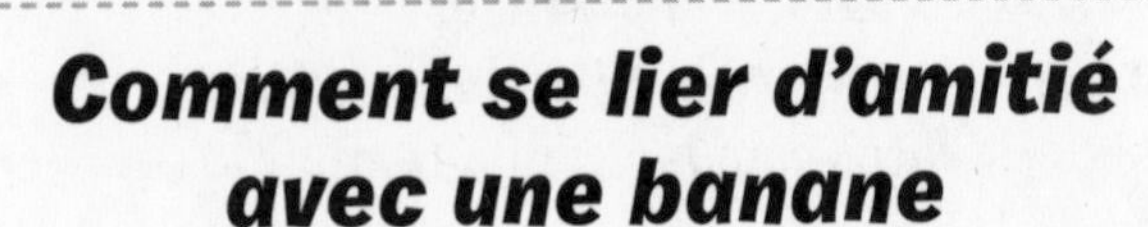

Comment se lier d'amitié avec une banane

Quand la sonnerie retentit à la fin de la période du dîner, nous sommes épuisés.

Et affamés.

Par chance, nous trouvons tous une banane sur notre pupitre lorsque nous retournons en classe.

— Excusez-moi, M. Desméninges, dit Florence, mais il y a une banane sur mon pupitre.

— Ah! tu as remarqué! s'exclame M. Desméninges avec un plaisir évident. Excellente observation, Florence.

— Il y en a une sur mon pupitre aussi! s'écrie David.

— Et sur le mien! s'écrie le reste de la classe en même temps.

M. Desméninges hoche la tête.

— Très bien, dit-il. La classe 5C n'a aucun problème de vue. Mais si vous étiez tous aveugles, comment auriez-vous su qu'il y avait une banane sur votre pupitre?

— En la sentant? suggère Janie.

— Oui! dit M. Desméninges. Maintenant, fermez tous les yeux et essayez de voir si vous pouvez SENTIR la banane qui se trouve sur votre pupitre.

À présent, nous sommes habitués aux leçons originales de M. Desméninges. À vrai dire, nous avons toujours hâte que la prochaine commence.

Nous fermons tous les yeux.

En fait, tous sauf moi, parce que je veux vérifier si tout le monde a vraiment fermé les yeux. Quand je FINIS par les fermer, je remarque qu'une nette odeur de banane flotte dans l'air.

— Alors? demande M. Desméninges. Qui arrive à sentir sa banane?

— Je sens une odeur de banane, répond Florence, mais je ne sais pas si c'est l'odeur de MA banane ou bien si c'est celle d'une pièce REMPLIE de bananes.

— Tu devrais être capable de sentir l'odeur de TA banane, répond M. Desméninges. Chaque banane a un parfum unique. Son odeur caractéristique, propre à elle. Il n'y a pas deux bananes pareilles!

— Oui, il y en a, objecte David en brandissant sa banane et celle de Florence. Regardez, elles sont toutes deux jaunes, elles sont toutes deux courbées et elles sentent toutes deux la banane!

— Au premier coup d'œil, bien sûr, reconnaît M. Desméninges. Mais examine-les d'un peu plus près.

Il prend les deux bananes des mains de David et les montre à la classe.

— Examine leurs taches. Celle-ci a une petite tache noire au milieu, alors que celle-là a un chapeau noir légèrement effiloché.

C'est drôle mais, au fur et à mesure que M. Desméninges

souligne les taches et les formes uniques de chaque banane, elles commencent à nous sembler aussi différentes les unes des autres que... deux bananes, j'imagine.

— Bon, dit M. Desméninges, à votre tour maintenant. Je veux que vous regardiez votre banane. Pas seulement la regarder, mais la regarder ATTENTIVEMENT. Étudiez votre banane. Examinez votre banane. Donnez-lui un nom.

— Un nom? s'étonne Janie. À une banane?

— Oui! s'exclame M. Desméninges, radieux. Pourquoi pas? Liez-vous d'amitié avec votre banane! Les bananes sont des êtres à part entière, elles aussi!

— Non, objecte David. Les bananes sont des bananes!

— Alors dessinez-lui un petit visage, suggère M. Desméninges. Cela vous aidera. Comme ça.

M. Desméninges prend un feutre noir et dessine un joli visage souriant sur sa banane.

— Voilà! dit-il. Comment la trouvez-vous?

David fronce les sourcils.

Le reste de la classe éclate de rire... et chacun se met aussitôt à dessiner un visage sur sa banane.

— Je vais donner un nom à ma banane, dit Olivier d'une voix forte, juste derrière moi. Je vais l'appeler Henri. Puis je vais la réduire en PURÉE.

Je ne réplique pas, mais Jacob, lui, ne peut pas s'en empêcher.

— Je vais appeler la mienne Fred, dit-il, parce qu'elle a autant de cervelle que lui.

— Je vais dire à mon frère que tu as dit ça, menace Olivier. Et je te préviens...

— Ouais, je sais, je sais, l'interrompt Jacob. Il ne va pas aimer ça!

— Je vais aussi lui dire que tu termines mes phrases!

— Je m'en fiche, lance Jacob, parce que si ton frère essaie de me faire quoi que ce soit, ce n'est pas juste à moi qu'il aura affaire... mais aussi à ma banane.

Jacob brandit sa banane. Il lui a dessiné un visage vraiment méchant. Sa banane est carrément effrayante. Une chose est sûre, ce n'est pas le genre de banane qu'on aimerait croiser tard le soir, dans une ruelle sombre.

— Pas de dispute, les gars, intervient Janie en montrant sa banane ornée d'un bonhomme sourire quasiment identique à celui du macaron qu'elle a trouvé sur l'île au Crâne. Soyons tous amis! Faisons une fête de bananes!

— Non, merci, dit Olivier. Vous et vos bananes, vous êtes tous cinglés!

— Oh! s'attriste Janie. Tu fais de la peine à ma banane!

Je suis pas mal certain que c'était justement l'intention d'Olivier. Heureusement, M. Desméninges nous rappelle à l'ordre avant que ce crétin n'ait le temps de répliquer.

— C'est bon, les élèves, poursuit-il. À présent, vous connaissez tous votre banane un peu mieux. Vous l'avez examinée, vous l'avez sentie, vous lui avez donné un nom et vous lui avez créé un visage. J'ai même remarqué que certains d'entre vous ont parlé à leur banane et que leur banane leur a répondu. Il est maintenant temps de connaître votre banane encore mieux. Il est temps de manger votre banane.

— MANGER ma banane? répète Janie. Mais, je ne pourrai jamais faire ça. J'AIME ma banane!

— Ne vous attachez jamais sentimentalement à un fruit, déclare M. Desméninges d'une voix solennelle, car vous ne savez jamais quand vous pourriez être forcés de le manger.

Chapitre 35

3e grande leçon de M. Desméninges

Il ne faut jamais s'attacher sentimentalement à un fruit, car on ne sait jamais quand on pourrait être forcé de le manger.

Chapitre 36

Comment manger une banane

— Nous allons maintenant apprendre à manger une banane, annonce M. Desméninges.

— Nous savons déjà comment manger une banane, fait remarquer David.

— Oh! je suis certain que vous savez comment fourrer une banane dans votre bouche pendant que vous êtes occupés à faire autre chose, précise M. Desméninges. Je vais maintenant vous enseigner à manger une banane en utilisant tous vos sens.

— Aurons-nous un test là-dessus, monsieur? demande Florence.

— Oui, répond M. Desméninges. Si vous parvenez à ressentir autant d'excitation en mangeant une banane qu'en faisant un tour dans les montagnes russes, vous réussirez le test.

— Hein? dit Florence.

— Ce qui vous rendra véritablement heureux dans la vie, c'est votre capacité à apprécier l'ordinaire, déclare M. Desméninges, et pas seulement l'extraordinaire. Maintenant, prenez votre banane, tenez-la fermement par le haut et pelez-en un côté.

Janie a les larmes aux yeux.

— Je ne peux pas faire ça! pleurniche-t-elle. C'est impossible!

— Ça va aller, lui dis-je à voix basse. Ta banane VEUT que tu le fasses.

— Tu crois?

— Oui, dis-je encore. C'est ton amie, non? Les amis prennent soin les uns des autres. Ta banane prend soin de toi en fournissant à ton corps plein de bonnes vitamines et de minéraux, et en te comblant de toute sa bonté bananière.

Ouais, je sais, je parle comme une publicité de céréales, mais je ne supporte pas de voir Janie toute triste. Et ça fonctionne.

— Le penses-tu vraiment, Henri? me demande-t-elle.

— Oui, lui dis-je.

— D'accord, dit-elle en prenant sa banane par la queue et en s'adressant à elle. Je te promets que ça ne fera pas mal du tout. Enfin, ça VA faire un peu mal, mais pas TROP.

— N'oubliez pas de regarder votre banane pendant que vous la pelez, continue M. Desméninges. Sentez-la. Touchez-la. Écoutez le son de sa pelure au moment où elle se sépare. Puis, SEULEMENT une fois que vous aurez ôté toute la pelure, GOÛTEZ votre banane!

Je suis les conseils de M. Desméninges.

Je regarde ma banane.

Je la sens.

Je la touche.

Je l'écoute.

Je la goûte.

M. Desméninges a raison. Cette banane est la meilleure banane que j'aie jamais mangée de toute ma vie.

Chapitre 37

Utilisation d'une pelure de banane

— Jetons-nous la pelure à la poubelle? demande Jacob après avoir mangé sa banane.

— Non! s'exclame M. Desméninges. La pelure est de loin la meilleure partie de la banane!

— Ne me dites pas qu'il faut la MANGER? s'étonne Jacob en prenant un air aussi effrayé que Lucas.

— Non, répond M. Desméninges. Nous pouvons faire quelque chose de beaucoup plus amusant avec elle. Laissez-moi vous montrer.

M. Desméninges dépose soigneusement sa pelure de banane par terre, devant son bureau, côté jaune vers le haut, et marche jusqu'à la porte. Puis, sans crier gare, il court et saute sur sa pelure de banane. Il glisse sur le plancher sur une longueur de près de trois mètres avant de perdre l'équilibre et de s'écraser contre le tableau en laissant échapper un cri de joie.

Alors que nous pensions avoir tout vu, voilà que nous sommes encore estomaqués par cette nouvelle performance.

Sous nos yeux, un enseignant glisse sur une peau de banane.

Et ce n'est même pas par accident.

C'est voulu.

— Attendez, dit M. Desméninges, je n'ai pas très bien réussi ma glissade. Et si je plaçais ma pelure de banane plus près de la porte et que je prenais mon élan depuis le corridor? Cela me permettrait de faire une plus longue glissade.

— Devrais-je la mesurer? demande Florence.

— Excellente idée, répond M. Desméninges. Faisons les choses correctement.

M. Desméninges replace la pelure de banane, sort dans le corridor et s'accroupit.

— Compte à rebours, 5C! crie-t-il.

Nous sommes vraiment trop contents de lui rendre ce service.

— DIX! crions-nous. NEUF! HUIT! SEPT! SIX! CINQ! QUATRE! TROIS! DEUX! UN!

M. Desméninges bondit comme une flèche. Il franchit la porte à toute vitesse, saute sur la pelure de banane et traverse toute la classe, cette fois sans tomber.

Il lance son poing en l'air en signe de victoire.

Nous l'acclamons.

— Trois mètres cinquante-deux! annonce Florence, ruban à mesurer en main.

— Ah! Là, tu parles! s'exclame M. Desméninges. Qui pense pouvoir battre ça?

Bien sûr, nous levons tous la main.

Les dix minutes qui suivent sont les dix minutes les plus délirantes que nous ayons JAMAIS passées dans une salle de classe. Nous lançons nos pelures de bananes par terre et nous nous amusons à glisser dessus.

Nous expérimentons diverses techniques et les comparons : placer la pelure de banane à l'endroit plutôt qu'à l'envers, prendre un petit élan au lieu d'un grand, garder le silence durant la glissade plutôt que crier.

Bien sûr, il y a beaucoup de collisions, mais nous apprenons plus sur l'art de glisser sur une peau de banane au cours de ces dix minutes que la plupart d'entre nous l'ont fait au cours des dix dernières années.

Si la leçon de glissade ne dure que dix minutes, c'est que Mme Malcommode apparaît subitement au milieu de la classe.

Elle est furieuse.

Aussi furieuse que je l'ai toujours vue.

Peut-être même plus furieuse encore.

Si c'est possible.

Mais pas aussi furieuse qu'elle le sera bientôt.

Chapitre 38

Mme Malcommode se met VRAIMENT en colère

— QUELLE BÊTISE ÊTES-VOUS ENCORE EN TRAIN DE FAIRE? hurle-t-elle.

— Nous glissons sur des peaux de bananes! hurle à son tour David.

— Voulez-vous essayer? demande Florence. Je peux vous prêter la mienne si vous voulez. Je ne l'utilise pas vraiment : je note les résultats. Je vais ensuite les reporter sur un graphique.

— Où est passé votre enseignant? demande Mme Malcommode.

— Il est dans l'escalier, répond David. Il veut prendre un élan extra-long pour tenter de pulvériser son propre record de glisse.

— De quoi parles-tu, pauvre enfant? se moque Mme Malcommode.

Au même moment, un bruit de pas très lourds se fait entendre dans le corridor.

— Il arrive! s'écrie David. Ôtez-vous de là! Je vous expliquerai plus tard.

C'est trop tard.

Mme Malcommode reste plantée là, l'air ahuri, quand

M. Desméninges entre dans la classe comme un boulet de canon.

Elle reste encore plantée là, bouche bée, quand M. Desméninges se lance sur sa pelure de banane et traverse héroïquement toute la classe en glissant droit vers elle.

Elle reste toujours plantée là, bouche bée, quand M. Desméninges la heurte de plein fouet.

Ensuite, elle n'est plus plantée là, mais elle a encore la bouche ouverte.

Elle vole dans les airs.

Dans les airs, puis... par la fenêtre!

Chapitre 39

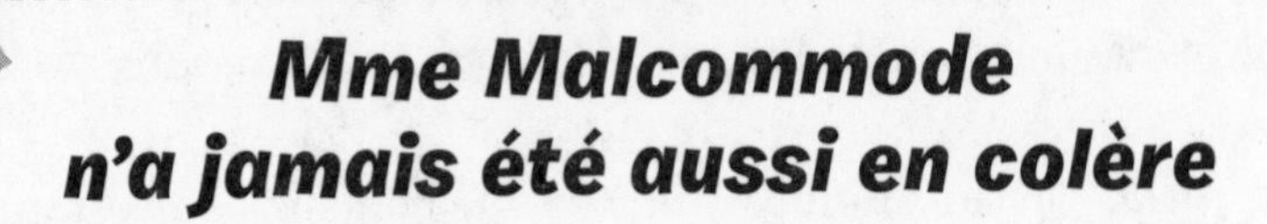

Mme Malcommode n'a jamais été aussi en colère

M. Desméninges s'écrase lourdement contre son bureau, puis s'écroule par terre.

— Pffffff! fait-il, affalé de tout son long sur le plancher. S'il vous plaît, quelqu'un, dites-moi que je n'ai PAS foncé sur Mme Malcommode et que je ne l'ai PAS envoyée par la fenêtre.

Toute la classe garde le silence.

— Bon sang! soupire M. Desméninges en se relevant et en se frottant la tête. J'ai effectivement foncé sur Mme Malcommode et je l'ai effectivement envoyée par la fenêtre.

Toute la classe hoche la tête.

M. Desméninges se dirige vers la fenêtre.

Toute la classe le suit.

Pauvre Mme Malcommode. Je sais exactement comment elle se sent.

Elle est étendue sur le dos dans les fleurs fraîchement replantées de M. Herbête et elle nous regarde.

— J'imagine que vous trouvez ça drôle! crie-t-elle.

— Non, bien sûr que non, madame Malcommode, répond M. Desméninges. Est-ce que vous allez bien?

— Oui, je vais bien, répond Mme Malcommode en se relevant, mais on ne pourra pas en dire autant de vous quand j'aurai réglé votre compte!

— Je vous en prie, ne me frappez pas, madame Malcommode, dit M. Desméninges. C'est un accident. Ça peut arriver à n'importe qui.

— Je ne vais pas vous frapper, monsieur Desméninges, répond Mme Malcommode, mais je vais rapporter cet « accident » à M. Barbeverte. Je veillerai personnellement à ce que vous ne puissiez JAMAIS PLUS travailler dans cette école!

Sur ces paroles, elle traverse la cour comme un ouragan et file en direction du bureau de M. Barbeverte, notre directeur.

M. Desméninges s'éloigne de la fenêtre en secouant la tête.

— Travailler? répète-t-il. De quoi parle-t-elle? Je n'ai jamais travaillé de ma vie. Surtout pas dans cette classe. Ce n'est pas du travail, c'est du plaisir!

Chapitre 40

La discussion

Après avoir ramassé toutes les pelures de bananes et avoir remis tous les pupitres et toutes les chaises à leur place, nous retournons nous asseoir.

— Que va-t-il arriver à M. Desméninges? me demande Janie à l'oreille.

— Rien, lui dis-je tout bas. Mme Malcommode va lâcher un peu de vapeur dans le bureau du directeur, elle va se calmer, retourner dans sa classe et tout va rentrer dans l'ordre. Tu sais, ce n'est pas la première fois qu'elle se met en colère contre M. Desméninges.

— J'espère que tu as raison, Henri.

M. Desméninges est en train de dessiner une grosse banane au tableau quand il est interrompu par un bruit à la porte. On cogne.

C'est M. Barbeverte, le directeur. Il fait un salut à M. Desméninges.

— Désolé de vous interrompre en pleine traversée, mais je me demandais si vous ne pourriez pas jeter l'ancre un moment et m'accompagner sur la passerelle?

— Bien entendu, dit M. Desméninges en se hâtant de terminer son dessin de banane. 5C, vous allez reproduire cette image de banane dans votre cahier, s'il vous plaît.

Ensuite, vous me décrirez le goût de votre banane en cinquante mots. Je reviens dans une minute.

M. Desméninges et M. Barbeverte sortent de la pièce.

Le silence plane sur la classe.

J'arrive à voir M. Desméninges et M. Barbeverte qui parlent dans le corridor. Je vois leurs têtes, mais je n'arrive pas à comprendre leurs paroles, même si toute la classe est silencieuse.

De temps à autre, cependant, le directeur hausse la voix et je parviens à attraper quelques mots comme « inacceptable », « reprenez-vous ou quittez le navire », « révisez votre position », « maintenez le cap » et « tenez-vous-en au programme, sinon... ».

M. Desméninges rentre dans la classe.

— Fermez vos cahiers, dit-il calmement.

— Mais je n'ai pas fini de dessiner ma banane, proteste Florence.

— Moi non plus, ajoute David.

— Oubliez ça pour l'instant, dit M. Desméninges. Apparemment, il est très important de nous en tenir au programme. Quelqu'un peut-il me dire ce que vous devriez être en train de faire à ce moment de la semaine?

— Un test d'orthographe, répond Florence.

Le reste de la classe pousse un grognement.

M. Desméninges soupire.

— Un test d'orthographe, marmonne-t-il pour lui-même en secouant la tête. Alors qu'il y a tant de choses formidables que nous pourrions... mais... non... nous devons nous en tenir au programme. Très bien. Nous ferons donc un test d'orthographe.

— Aurons-nous un test là-dessus, monsieur? demande Florence.

— Oui, répond M. Desméninges. Je ne suis pas un expert, mais je crois que c'est justement le but d'un test d'orthographe.

— Voici le manuel, dit Florence en lui tendant son exemplaire de *L'orthographe, c'est amusant!* Nous sommes rendus au test numéro vingt-deux.

— *L'orthographe, c'est amusant!* lit M. Desméninges à voix haute, en le répétant comme pour se convaincre de sa véracité. *L'orthographe, C'EST amusant! L'ORTHOGRAPHE, c'est amusant! L'orthographe, c'est AMUSANT!...*

Je n'aime pas voir M. Desméninges dans cet état.

Un instant, il nous enseigne comment glisser sur une pelure de banane et, l'instant d'après, il nous donne un test d'orthographe.

Je jette un coup d'œil vers Janie. Elle avait raison de s'inquiéter.

J'ignore ce que M. Barbeverte a dit à M. Desméninges, mais ça lui a coupé les ailes d'un coup sec.

— Tout le monde est prêt? demande M. Desméninges. Le premier mot est « chandail ».

— Pouvez-vous nous l'épeler? demande Jacob.

— Bel effort, Jacob, répond M. Desméninges, mais je crois que l'idée fondamentale d'un test d'orthographe, c'est que vous épeliez vous-mêmes le mot.

— Oui, c'est exactement cela, confirme Florence.

— Pourriez-vous l'inclure dans une phrase? demande David. Mme Ardoise faisait toujours cela.

— Bien sûr, dit M. Desméninges en regardant par la fenêtre. Chandail. Il fait froid, alors j'enfile mon chandail.

Nous écrivons tous le mot.

— Le mot suivant est « image », annonce M. Desméninges. Cette image sur le mur est jolie.

Je me demande s'il parle de l'image représentant le système digestif chez l'humain ou de celle illustrant l'intérieur d'une dent cariée. Aucune ne me semble bien jolie.

— « Hâte », prononce M. Desméninges en réprimant un bâillement, comme dans « J'ai hâte que ce test d'orthographe soit fini. »

Rire général. Cela ressemble plus au M. Desméninges que nous connaissons et que nous aimons.

— « Pyramide », dit M. Desméninges. J'ai participé aux fouilles archéologiques qui ont permis de mettre au jour la pyramide disparue du roi Aha!

— C'est vrai? demande Gaëlle.

— Eh, oui! affirme M. Desméninges. Je n'oublierai jamais la pyramide du roi Aha! Elle m'a jeté un sort. Je ne croyais pas aux mauvais sorts avant, mais maintenant, oui.

— Qu... Qu... Que s'est-il passé? demande Lucas.

— Je prenais part à une importante expédition internationale, explique M. Desméninges. Nous creusions depuis plusieurs semaines déjà quand, un bon jour, j'ai accidentellement découvert l'entrée de la pyramide d'un coup de pioche. Le sol a cédé sous mon poids et, avant que j'aie pu faire quoi que ce soit, je suis tombé dans un dédale complexe de corridors menant tout droit à la salle principale du tombeau. Le roi Aha! n'était pas enchanté de mon arrivée, je vous en passe un papier!

— Le roi Aha! était encore vivant? s'exclame Jacob.

— Non, répond M. Desméninges d'une voix grave, il était mort depuis plus de trois mille ans... mais ses restes momifiés étaient plutôt en forme! La momie a traversé la salle et s'est ruée vers moi comme un train de marchandises. Elle m'a donné un coup de tête dans le ventre, m'a renversé sur le dos et m'a complètement coupé le souffle. Elle a essayé de m'étouffer, mais j'ai sorti mon poignard et je l'ai réduite en un tas de bandages inoffensifs.

— Ça a fini comme ça? demande Janie.

— Le combat physique, oui, répond M. Desméninges, mais depuis ce jour, la momie me visite régulièrement dans mes rêves. Elle veut finir ce qu'elle a commencé et ainsi, accomplir sa malédiction. Je ne m'en préoccupe pas vraiment. Cela me garde alerte et je suis imbattable au poignard. Mais c'est une vilaine bête. Si je suis absent de l'école un de ces jours, vous saurez que la momie a finalement eu raison de moi.

Nous fixons tous M. Desméninges.

Enfin, tous sauf Lucas, qui a les yeux bien fermés.

La sonnerie retentit.

Nous sursautons tous.

Lucas pousse un cri.

— La classe est terminée, annonce M. Desméninges.

Nous sortons tous à pas lents, la tête remplie de momies déchaînées.

Chapitre 41

Réunion

— Pensez-vous qu'il disait la vérité? demande Gaëlle quand nous arrivons près des casiers.

— On ne peut pas inventer ce genre d'histoire, déclare Jacob. C'était vraiment terrifiant.

— Tu peux le dire! s'exclame Lucas. Je ne dormirai pas de la nuit. Ni la nuit prochaine. Peut-être même de toute la semaine.

— Ça doit être vrai, dit Janie. Il est enseignant. Les enseignants ne mentent pas. Enfin, ils ne sont pas censés le faire.

— Ils ne sont pas censés tomber par la fenêtre non plus, fait remarquer Gaëlle, mais LUI, il le fait. Qu'en penses-tu, Henri?

— Je crois que nous devrions lui demander de nous aider à trouver le trésor, dis-je.

— Tu veux rire? s'écrie Jacob. C'est un enseignant. Il est de LEUR bord. Il ne nous permettra pas de le garder.

— Au cas où tu n'aurais pas remarqué, M. Desméninges n'est pas comme les autres enseignants, dis-je. Même quand il essaie d'être normal, ça ne dure jamais bien longtemps. Et n'oublie pas que, malgré tous nos efforts, nous n'avons toujours pas trouvé le trésor. D'ailleurs, rien ne nous garantit que nous allons le trouver. M. Desméninges a participé à des fouilles archéologiques. Il a découvert un tombeau entier! Il représente notre meilleure chance de réussir!

— Tu as raison, Henri, approuve Janie. De plus, l'île au Crâne ne restera pas déserte bien longtemps. Tôt ou tard, Fred va comprendre que nous lui avons donné une fausse carte et alors... il reviendra.

— Et il sera déchaîné, ajoute Lucas. Peut-être plus déchaîné encore que la momie du roi Aha!

— Je suis d'accord avec Henri, dit Gaëlle. Tous ceux qui sont en faveur de demander à M. Desméninges de nous aider à trouver le trésor, levez la main.

Tout le monde lève la main, sauf Jacob.

— Désolée, Jacob, dit Gaëlle. Tu as perdu.

Jacob hausse les épaules.

— Je vous aurai prévenus!

Chapitre 42

L'avis d'un expert

Gaëlle, Janie, Lucas, Jacob et moi retournons dans la classe.

M. Desméninges est assis à son bureau et il regarde dans le vide.

Je lui demande doucement :

— Est-ce que ça va, monsieur Desméninges?

— Oui, je vais très bien! répond-il. J'étais juste en train d'écouter.

— Écouter quoi? demande Janie.

— Tout!

Nous tendons l'oreille.

— Je n'entends rien, déclare Janie.

— Écoutez plus attentivement, dit M. Desméninges.

— J'entends une voiture, dit Gaëlle.

— Et un oiseau, ajoute Lucas.

— Le vent, dit Jacob.

J'ajoute :

— Un chien qui jappe.

— Excellent, approuve M. Desméninges. Vous voyez? Il y a toujours quelque chose de nouveau. Bon, que me vaut l'honneur de votre visite?

— Nous avons besoin de votre aide, dis-je. Ça concerne

quelque chose de très vieux.

— Ravi de vous être utile, dit M. Desméninges. Quel est le problème?

— Pouvez-vous garder un secret? dis-je.

— Bien sûr, répond M. Desméninges.

— Répétez le serment après moi : « Je jure sur mon cœur que si je babille, je me percerai l'œil avec une aiguille. »

— Oh! Je n'ai pas de problème à jurer sur mon cœur, déclare M. Desméninges, mais l'histoire de l'aiguille...

— Ça va aller, dis-je, nous ne vous embêterons pas avec ça. Il s'agit d'un trésor. Un trésor enfoui.

— Ah! fait M. Desméninges. Très intéressant. Où est enfoui ce trésor?

— Tout le problème est là, dis-je. Nous ne le savons pas exactement. Mais nous savons qu'il est enterré quelque part dans le terrain de l'école.

— Aucune idée où? demande M. Desméninges.

— Quelque part sur cette butte, dis-je en la désignant par la fenêtre.

— Je vois, dit M. Desméninges. Eh bien, cela réduit considérablement le secteur à fouiller et rend la fouille faisable. Mais dites-moi, comment avez-vous entendu parler de ce trésor?

Je raconte toute l'histoire à M. Desméninges. Je lui explique tout ce que le directeur m'a dit et lui fait le récit de nos efforts pour trouver l'emplacement du trésor. Je lui montre même la clé.

À la fin de mon récit, M. Desméninges a les yeux brillants.

— Ne vous inquiétez pas, déclare-t-il. Laissez-moi faire. S'il y a un trésor dans le coin, nous allons le trouver... ou je ne m'appelle pas Théobald Denis Desméninges!

Chapitre 43

Les préparatifs

Le lendemain matin, M. Desméninges ne porte pas son veston violet.

Ni sa chemise orange.

Ni sa cravate vert pomme.

Il porte un short et une chemise kaki, un casque colonial et une paire de bottes brunes bien poussiéreuses.

En avant de la classe, on peut voir un gros tas de fourches, de pics et de pelles. Juste à côté, il y a quelques paquets de piquets en bois et des pelotes de ficelle.

— Oh, oh! dit Florence. On dirait que M. Desméninges a attrapé la fièvre du trésor, lui aussi.

— Bonjour 5C, dit M. Desméninges. J'espère que vous avez tous pris un bon déjeuner parce que nous avons une grosse matinée devant nous. Combien d'entre vous ont déjà participé à une fouille archéologique?

Nous faisons tous non de la tête.

— Est-ce que creuser pour trouver un trésor enfoui, ça compte? demande David.

— Ça pourrait, répond M. Desméninges. Mais la plupart du temps, les archéologues ne cherchent pas ce que vous appelleriez un « trésor ». Ils cherchent plutôt des objets de la vie courante bien ordinaires qui leur permettent de reconstituer la façon dont les gens vivaient dans le passé. Ainsi, ils peuvent considérer comme un grand trésor un morceau d'objet que vous jugeriez sans importance. Un morceau de poterie ébréchée, par exemple.

— J'aimerais mieux trouver un trésor que des vieux morceaux de poterie ébréchée tout moches, commente Olivier.

— N'empêche, reprend M. Desméninges, le plaisir réside dans le fait qu'on ne sait jamais ce qu'on va trouver! C'est ce qui rend la chose aussi excitante. Bon, je sais que vous avez tous cherché un trésor enfoui cette semaine, alors j'ai pensé que ce serait l'occasion idéale de vous enseigner quelques trucs du métier. Qu'en pensez-vous?

Toute la classe approuve avec enthousiasme.

Non pas que quiconque ait envie de trouver des morceaux de poterie ébréchée.

Nous avons tous la même idée en tête.

Le trésor enfoui.

Le véritable trésor enfoui.

La seule personne qui ne semble pas enthousiaste à l'idée de creuser, c'est Jacob.

— Je vous l'avais dit qu'il ne fallait pas en parler à un enseignant! râle-t-il. À présent, nous allons devoir partager le trésor avec tout le reste de la classe.

— De toute façon, tout le monde cherchait le trésor, fait remarquer Gaëlle.

— Ouais, mais pas au bon endroit, réplique Jacob. Ils n'étaient pas sur le point de le trouver.

— Nous non plus, dis-je. Partager QUELQUE CHOSE sera toujours mieux que ne rien avoir à partager du tout.

— Henri a raison, Jacob, dit Janie. Ne soyons pas égoïstes. Et puis, si ce trésor vaut la moitié de ce que nous pensons, il y aura quand même pas mal d'argent à se partager.

Jacob hausse les épaules.

— Bof, fait-il.

— Bon, nous allons procéder méthodiquement, poursuit M. Desméninges en se dirigeant vers la fenêtre et en désignant l'île au Crâne. Pour commencer, nous allons diviser la butte en vingt-cinq carrés égaux. Chacun de vous aura un carré d'environ trois pas de côté. Je veux que vous preniez chacun quatre piquets, de la ficelle, ainsi qu'un pic ou une pelle. Allons-y!

Chapitre 44

La fouille cafouille

Janie, Gaëlle, Jacob, Lucas et moi nous ruons sur le matériel afin d'être les premiers à fouiller le secteur où nous avons déjà creusé.

Je considère que si quelqu'un mérite de trouver ce trésor, c'est bien nous.

Chacun de nous mesure son carré et noue une ficelle autour des quatre piquets de bois pour le délimiter clairement.

— Que faisons-nous à présent? demande David à partir de son carré.

— Nettoyez le sol, répond M. Desméninges. Quand vous aurez examiné la surface, vous pourrez commencer à creuser. Mais faites-le avec soin. L'idée, c'est de ne pas détruire ce que nous cherchons.

— Et si nous trouvons une momie? demande Lucas, l'air anxieux.

— Vous DEVEZ la détruire, dit M. Desméninges d'un ton sinistre. Détruisez-la avant qu'elle ne vous détruise.

Lucas se met à trembler.

— Je ne veux plus faire de fouille, marmonne-t-il.

— Lucas, il fait des blagues, dis-je.

— Non, je ne blague pas, affirme M. Desméninges.

— En réalité, il blague, dis-je à Lucas dans le creux de l'oreille.

Lucas n'est pas rassuré. Il balance son pic sans conviction.

Tous les élèves sont occupés à creuser. Enfin, quand je dis creuser, je veux dire attaquer un carré de terre avec toute l'énergie que leurs corps contiennent.

Ça ne ressemble pas tant à une fouille archéologique ordonnée qu'à un chaos complet et absolu.

Les pics, les pelles et la terre volent en tous sens dans l'air.

— Travaillez soigneusement! crie M. Desméninges dans tout ce vacarme. N'oubliez pas de travailler soigneusement!

Mais ses paroles se perdent dans la frénésie de la chasse au trésor.

À l'aide d'un pic, Olivier fait éclater son carré de terre.

Gaëlle creuse avec tant de force et de détermination qu'un bulldozer aurait du mal à suivre le rythme.

Florence est à quatre pattes et elle lance la terre derrière elle à l'aide d'une petite truelle. La terre tombe sur David, mais celui-ci est tellement occupé à creuser son propre trou qu'il ne remarque rien.

Gina et Paméla sont les seules à ne pas creuser. Elles sont trop occupées à trotter sur leurs chevaux imaginaires et à franchir les obstacles imaginaires que sont les ficelles.

Une chose est sûre en tout cas.

S'il y a BEL ET BIEN un trésor enfoui ici, la classe 5C va le trouver.

Reste à savoir si le trésor va survivre à son excavation... Ça, c'est une autre question. Mais nous allons le TROUVER.

Derrière les fenêtres, je vois des élèves des autres classes qui nous regardent avec envie.

Chaque élève de l'école Sudest de Nordouest de Centreville a consacré chaque minute de son temps libre à chercher le trésor, mais nous sommes les seuls élèves assez chanceux pour chercher le trésor durant nos heures de classe.

Ce fait n'échappe pas à Mme Malcommode. La voici d'ailleurs qui marche vers nous d'un pas décidé.

— Qu'est-ce qui se passe ici? s'écrie-t-elle.

— Nous faisons une fouille archéologique! s'exclame M. Desméninges.

— Une fouille archéologique? répète Mme Malcommode. L'archéologie ne fait pourtant pas partie du programme de 5e année!

— Maintenant, oui! affirme M. Desméninges.

Mme Malcommode secoue la tête.

— Vous ne devriez pas endommager le terrain de l'école comme vous le faites, dit-elle. C'est mal.

— Nous n'endommageons pas le terrain de l'école, proteste M. Desméninges. Nous faisons une fouille archéologique!

— Appelez cela comme vous le voulez! lance alors Mme Malcommode. À mon avis, c'est destructeur et inutile.

Et je ne suis pas la seule à le penser. Le creusage intensif des derniers jours a tellement bouleversé le pauvre M. Herbête qu'il a dû être envoyé en repos forcé. J'aurais dû me douter que vous étiez derrière toute cette histoire.

— Nous allons tout remplir quand nous aurons fini, dit M. Desméninges.

— Vous avez déjà fini, Desméninges! lance Mme Malcommode. Je vous accorde quinze minutes, à vous et à vos élèves, pour remplir les trous, ramasser vos saletés et quitter cette butte en la laissant EXACTEMENT comme elle était! Sinon, j'avertis le directeur de cet écart du programme... et vous savez ce que cela SIGNIFIE!

Mme Malcommode fait demi-tour et descend la butte d'un pas décidé.

M. Desméninges hausse les épaules.

Son visage affiche le même air triste que l'autre jour, suite à sa discussion orageuse dans le corridor avec M. Barbeverte.

— 5C, j'ai bien peur que notre fouille soit maintenant terminée, dit-il doucement. Pourriez-vous, s'il vous plaît, commencer à remplir votre...

— M'sieur! J'ai trouvé quelque chose! s'écrie Gaëlle.

Le carré de Gaëlle est juste à côté du mien. Je regarde dans le trou qu'elle a creusé : il est deux fois plus profond que le mien. Je devine, au fond, la forme d'une boîte.

M. Desméninges s'approche.

— Qu'as-tu trouvé, Gaëlle? demande-t-il.

— Eh bien, dit-elle, je creusais quand soudain, ma pelle a produit un bruit de métal. Je me suis dit qu'il devait y avoir quelque chose à cet endroit.

M. Desméninges est couché à plat ventre et il dégage d'une main la terre qui recouvre l'objet.

— Je crois que tu as raison, dit-il avec excitation. Cependant, vu l'ultimatum de Mme Malcommode, ce serait trop long de creuser à la main. J'ai exactement ce qu'il nous faut dans ma voiture. Je reviens tout de suite!

Chapitre 45

Le marteau-piqueur

La suite de l'histoire va sans doute vous sembler un peu invraisemblable, mais je vous jure que c'est la vérité.

M. Desméninges revient avec un marteau-piqueur.

Bon, j'ignore combien de gens – ou d'enseignants – se promènent avec un marteau-piqueur dans leur voiture, mais de toute évidence, M. Desméninges, lui, le fait.

Je ne comprends toujours pas non plus comment l'utilisation d'un marteau-piqueur peut être compatible avec les conseils de M. Desméninges stipulant que les fouilles archéologiques doivent être menées avec un soin EXTRÊME, mais c'est vrai que nous MANQUONS de temps.

Mme Malcommode nous a donné quinze minutes et il nous faudrait beaucoup plus de temps pour déterrer soigneusement la boîte.

— Ouf! C'est bien un concasseur de démolition monophasé? demande Guillaume, vraiment impressionné.

— Oui, confirme M. Desméninges en descendant l'engin dans le trou. Il est petit, mais il fait du bon boulot. Reculez-vous, 5C, et bouchez vos oreilles… Ce machin est un peu bruyant.

« Un peu bruyant », tu parles! C'est SUPER bruyant. Quand M. Desméninges le fait démarrer, non seulement l'entendons-nous, mais nous le SENTONS aussi!

Il fait trembler le sol.

Il fait vibrer nos pieds, nos jambes, nos poitrines et nos bras.

Il fait claquer nos mâchoires.

Et il fait un vacarme épouvantable!

J'ignorais qu'une si petite machine pouvait causer un tel boucan.

Le bruit m'agresse les oreilles, même si je plaque mes mains par-dessus.

M. Desméninges et son concasseur de démolition monophasé ne sont plus qu'une tache vibrante au milieu d'un nuage de poussière.

C'est alors que surgit Mme Malcommode.

— Ça suffit, Desméninges! hurle-t-elle d'une voix perçante parfaitement audible malgré le vacarme du marteau-piqueur.

Même M. Desméninges l'entend.

Il arrête le marteau-piqueur.

— Quelques minutes encore et j'ai fini, supplie-t-il.

Mme Malcommode insiste.

— Vous avez déjà fini. En ce moment MÊME, vous avez fini!

— Mais madame Malcommode, insiste M. Desméninges, je suis si près du but!

— Vous êtes plus que près, répond Mme Malcommode. Cette fois, vous êtes allé TROP LOIN! J'essaie d'enseigner et vous transformez l'école en un chantier de construction. Vous venez de brûler vos dernières cartouches! Je vais prendre les dispositions nécessaires pour que vous n'enseigniez plus ici ni dans aucune autre école... si « enseigner » est le bon mot pour décrire les activités bizarres dont vous meublez votre temps de classe!

Mme Malcommode tourne les talons, descend la butte, mais ne se dirige pas d'un pas décidé vers sa classe.

Elle se dirige droit vers le bureau du directeur!

Chapitre 46

Au revoir, M. Desméninges

M. Desméninges secoue tristement la tête et sort du trou.

— Cette fois, je crois que notre fouille est vraiment terminée, déclare-t-il. Je suis désolé, 5C. Si près du but et pourtant si loin!

— Ça ne fait rien, dit Janie. Au moins, nous avons essayé et nous y avons mis tout notre cœur.

— C'est vrai, confirme M. Desméninges.

Les haut-parleurs du système d'interphone de l'école émettent un grésillement.

— M. Desméninges pourrait-il se présenter au bureau du directeur immédiatement, s'il vous plaît? appelle Mme Rabat-Joie. M. Desméninges, au bureau du directeur IMMÉDIATEMENT!

Mme Rabat-Joie n'est pas plus agréable dans les haut-parleurs qu'elle ne l'est en personne.

— 5C, dit M. Desméninges, si je ne reviens pas, sachez que j'ai beaucoup apprécié le temps que j'ai passé avec vous. J'ai appris énormément et vous allez tous me manquer.

— De quoi parlez-vous? demande Gaëlle. Vous allez revenir! Vous êtes simplement convoqué au bureau du directeur.

— Je crois que nous devons affronter la triste réalité, continue M. Desméninges, et admettre le fait que Mme Malcommode souhaite mon départ.

— Personne ne l'écoute! lance Jacob. Ce n'est qu'une vieille commère colérique!

— M. Barbeverte l'écoute, Jacob, fait remarquer M. Desméninges, et j'ai bien peur qu'il ait décidé de me faire marcher sur la planche.

— Mince! s'écrie Lucas.

— C'est une façon de parler, le rassure M. Desméninges en lui tapotant l'épaule.

Florence s'éclaircit la gorge.

— À titre de co-représentante de la classe, déclare-t-elle, et au nom de tous les 5C, j'aimerais vous dire que nous avons vraiment aimé vous avoir comme enseignant. Et je crois que nous aussi, nous avons appris énormément.

— Bravo! Bravo! s'exclame David.

Gaëlle s'avance et serre la main de M. Desméninges.

M. Desméninges grimace comme s'il était sur le point de pleurer.

— Gaëlle, laisse-t-il échapper, peux-tu lâcher ma main, s'il te plaît? Tu es en train de me la broyer!

— Désolée, m'sieur, s'excuse-t-elle.

— Ça va, Gaëlle, dit-il. Ouf! Tu es vraiment dotée d'une force incroyable!

Il descend la butte.

Nous sommes tous silencieux.

Personne ne sait quoi dire.

Une fois en bas, il se retourne et nous salue de la main.

— N'oubliez pas comment respirer! lance-t-il. Et méfiez-vous d'une certaine fenêtre!

Je ne pleure jamais – enfin, presque jamais – mais je n'ai pas honte de dire qu'à ce moment précis, je refoule mes larmes. Janie sanglote. Nous regardons s'éloigner le meilleur enseignant que nous ayons jamais eu.

Comprenez-moi bien : nous aimons bien Mme Ardoise, mais nous ADORONS M. Desméninges.

Le pire, c'est que c'est ma faute s'il nous quitte. Si je ne l'avais pas encouragé à chercher le trésor, il n'aurait pas organisé la fouille archéologique, et s'il n'avait pas organisé la fouille archéologique, Gaëlle n'aurait pas trouvé le coffre au trésor, et si Gaëlle n'avait pas trouvé le coffre au trésor, alors M. Desméninges ne serait pas allé chercher son marteau-piqueur, et si M. Desméninges n'était pas allé chercher son marteau-piqueur, Mme Malcommode ne se serait pas mise dans une telle colère, et si Mme Malcommode ne s'était pas mise dans une telle colère, elle ne serait pas allée voir M. Barbeverte, et M. Barbeverte n'aurait pas convoqué M. Desméninges à son bureau et alors... et alors... et alors j'ai une idée... une idée BRILLANTE.

Chapitre 47

Une idée brillante

Je saute dans le trou et me mets à creuser.

Les efforts de M. Desméninges ont permis de mettre au jour la moitié supérieure d'un coffre en bois. Pour le moment, il est impossible de le sortir de là, mais ce sera bientôt possible si on creuse encore un peu.

— Que fais-tu, Henri? me demande Janie. Comment peux-tu continuer à creuser en un moment pareil? Nous allons perdre le meilleur enseignant que nous ayons jamais eu, et la seule chose qui t'intéresse, c'est ce vieux trésor stupide! Tu n'as donc pas de cœur?

Je proteste :

— Non, tu ne comprends pas! Nous devons absolument trouver le trésor. C'est notre seul espoir!

— Notre seul espoir de quoi? dit Janie. De devenir riches?

— Non, dis-je, de sauver M. Desméninges.

— Comment ça? demande Gaëlle.

— Je ne peux pas vous l'expliquer maintenant, dis-je en continuant à creuser de toutes mes forces. Pas le temps. Aidez-moi plutôt à dégager le trésor!

— Fais de l'air, Tournelle! lance Gaëlle. Je creuse pas mal plus vite que toi!

Je sors du trou et Gaëlle y saute.

Équipée d'un pic, elle règle l'affaire en quelques minutes. Un moment plus tard, elle brandit un petit coffre en bois incrusté de terre et orné d'un crâne souriant sur le dessus. Je comprends que le crâne sourie. Moi aussi, je sourirais si quelqu'un me sortait de mon trou après tant d'années passées sous terre. (Quoique, si j'avais été enterré pendant des années, je serais probablement mort et pas du tout souriant... Veuillez oublier ce dernier commentaire.)

— Waouh! s'écrie Jacob, admiratif devant le travail de Gaëlle. Tu as fait ça presque aussi vite que le marteau-piqueur de M. Desméninges.

— Comment ça « presque » ? se vexe Gaëlle. J'aimerais bien voir le marteau-piqueur qui creuse plus vite que moi!

Elle me tend le coffre.

— Alors, dis-nous : comment ce coffre va-t-il sauver M. Desméninges? demande-t-elle, encore essoufflée d'avoir tant creusé.

Je leur explique :

— Eh bien, à l'origine, le trésor appartenait à M. Barbeverte, pas vrai? Je me suis dit que si nous lui rapportions ce trésor maintenant, il serait tellement content de le retrouver qu'il ne congédierait pas M. Desméninges!

— Excellente déduction, Henri! s'écrie Janie.

— Ouvrons-le d'abord, suggère Jacob, et vérifions que le trésor y est. Si le directeur retrouve son coffre au trésor après tant d'années et qu'il est vide, il ne sera peut-être que plus furieux encore.

— Bonne idée, Jacob, approuve Janie. Nous ne voulons pas aggraver la situation.

— Pas de problème, dis-je. J'ai la clé juste ici.

Je plonge la main dans ma poche et en sort la clé.

Le crâne souriant qui orne la clé concorde parfaitement avec celui qui orne le coffre.

Je m'apprête à enfoncer la clé dans la serrure quand Lucas souffle à pleins poumons dans son sifflet.

Le bruit est presque aussi fort que celui du marteau-piqueur de M. Desméninges.

— Qu'est-ce qui te prend, Lucas? demande Janie.

— Danger! dit Lucas, le souffle coupé.

— Quel danger? demande Jacob.

— Et si le trésor était ensorcelé et que des momies se mettaient à nous attaquer dans nos rêves?

— Ne t'inquiète pas, Lucas, le rassure Jacob. Si elles essaient de t'embêter, souffle un bon coup dans ton sifflet. Ça va leur régler leur compte!

— Les momies n'entendent rien, voyons, objecte Florence. Elles ont plein de bandages sur les oreilles.

— Je pense que le sifflet de Lucas est capable de percer quelques vieux bandages miteux, réplique Jacob.

— De toute façon, ça n'arrivera pas, dis-je. Vous confondez les trésors de pirates avec les trésors des Égyptiens. Ce sont deux choses complètement différentes!

— Bien sûr, dit Janie. Henri a raison. Lucas, tu n'as

pas à t'inquiéter des momies.

J'enfonce la clé dans la serrure.

Je la tourne.

Enfin, J'ESSAIE de la tourner, mais elle refuse de bouger.

— Ça ne fonctionne pas, dis-je.

— Il FAUT que ça fonctionne, insiste Janie.

Je répète :

— Eh bien! ça ne fonctionne pas quand même.

— Pas de problème, intervient Guillaume. Laissez-moi essayer. J'ai un passe-partout numérique sur moi. Ça ouvre n'importe quoi. C'est tout nouveau. Mon père l'a inventé hier soir.

Jacob roule les yeux.

Je hausse les épaules en disant :

— Ça mérite un essai.

Guillaume brandit un tube noir tout brillant qui ressemble davantage à une lampe de poche qu'à une clé. Il le place sur la serrure et appuie sur un bouton. Le bidule produit une série de bips et de cliquetis. Un voyant rouge s'allume. Puis de la fumée se met à en sortir.

— Guillaume... commence Jacob.

— Ça y est presque, dit Guillaume.

— C'est normal qu'il sorte de la fumée de ton bidule? demande Jacob.

— Je l'ignore, répond Guillaume. C'est la première fois que je m'en sers.

— On dirait qu'il va exploser, fait remarquer Jacob.

Sur ces paroles, le passe-partout numérique de

Guillaume explose.

— Je déteste dire que je vous avais avertis, laisse tomber Jacob, mais je vous avais avertis.

Guillaume hoche la tête, dépité.

— La serrure devait être trop vieille, dit-il.

— Ou alors peut-être, mais je dis bien peut-être, que le passe-partout numérique ne fonctionne pas, ajoute Jacob.

— Impossible! s'exclame Guillaume. C'est mon père qui l'a inventé!

— C'est ce que je disais, renchérit Jacob.

— Ça suffit, Jacob, tranche Gaëlle. Ce n'est pas ça qui va nous aider à ouvrir le coffre. Ce qu'il nous faut, c'est de la bonne vieille force brute non numérique. Reculez! Cette affaire est celle de Coup-sec!

Gaëlle remonte sa manche. Elle serre son poing, prend une bonne respiration et donne un grand coup sur le dessus du coffre.

Aussi incroyable que cela puisse paraître, le coffre ne s'ouvre pas, malgré la puissance du poing de Gaëlle qui est pourtant assez fort pour assommer quelqu'un d'un seul coup.

Le poing de Gaëlle rebondit carrément sur le coffre.

— Aïe! s'écrie-t-elle en secouant la main. Ce coffre est bougrement dur!

Nous fixons tous le coffre.

Le crâne semble afficher un sourire encore plus large qu'avant. On dirait qu'il s'amuse de nos tentatives désespérées pour forcer la serrure.

Le temps file.

Si nous ne parvenons pas à ouvrir le coffre, nous allons perdre le meilleur enseignant que nous ayons jamais eu!

C'est alors que Janie sourit et s'écrie :

— J'ai trouvé!

Elle retire son macaron de sa chemise et se met à quatre pattes par terre. Elle introduit la pointe de son macaron dans la serrure et s'en sert pour farfouiller dedans. Je lui demande :

— Tu essaies de crocheter la serrure?

— Non, répond-elle. Je la nettoie. Si la serrure ne s'ouvre pas, c'est qu'elle est encrassée de terre.

Elle pique, farfouille et tournicote avec la pointe du macaron.

— Ça y est! Henri, essaie la clé maintenant!

Je m'agenouille.

J'enfonce la clé...

je la tourne...

et...

la serrure fait un petit bruit sec.

Le coffre s'ouvre!

Mais avant même que je puisse ouvrir le couvercle, Lucas souffle à nouveau dans son sifflet. Je m'exclame :

— Lucas! Arrête de souffler dans ce stupide sifflet! Je te l'ai déjà dit : ce coffre n'est pas ensorcelé!

Mais Lucas n'essaie pas de me préserver d'un mauvais sort.

Il essaie de me préserver de quelque chose de bien pire.

Chapitre 48

La vengeance de Fred

Deux mains surgissent d'en haut et s'emparent du coffre.

— Je vais me charger de ceci, merci beaucoup, déclare une voix familière.

Je lève les yeux.

C'est Fred.

— Ce trésor nous appartient, dis-je. NOUS l'avons trouvé.

— Et je vous en suis très reconnaissant, répond Fred. Mais je ne devrais pas avoir à te rappeler, Tournelle, que je suis le propriétaire en titre du coffre et de son contenu. Nous avons conclu un marché, toi et moi. Tu te rappelles?

— Le marché concernait la carte uniquement, dis-je. Je te donnais la carte et, en échange, tu ne me serrais pas la tête jusqu'à ce qu'elle éclate comme un vulgaire bouton d'acné. Il n'y avait pas un mot à propos du trésor dans cette entente.

— Ouais, mais tu m'as trahi, réplique Fred en serrant le coffre contre lui. Tu m'as donné une fausse carte, alors le marché ne tient plus et le trésor m'appartient.

— Ça n'a aucun sens, intervient Florence. Ce n'est ni juste ni raisonnable! Et puis, que fais-tu ici, à part ça? Tu ne devrais pas être en classe?

— Mme Malcommode est partie au bureau du directeur, répond Fred. Elle m'a chargé de surveiller la classe... et je me suis accordé la permission de venir ici.

— Ça signifie donc que personne ne surveille la classe, note Florence. À mon avis, c'est un comportement tout à fait irresponsable.

— Au cas où tu n'aurais pas remarqué, déclare Fred en se plantant directement devant Florence, personne ici ne t'a demandé ton avis. Mêle-toi donc un peu de tes affaires si tu ne veux pas que je serre TON cou assez fort pour que TA tête éclate comme un vulgaire bouton d'acné. Est-ce que c'est assez juste et raisonnable à ton goût?

— Ça me semble parfaitement juste et raisonnable, bredouille Florence en reculant.

— Pas à mes yeux, en tout cas, dit Gaëlle. File-nous le trésor, Rustaud... ou tu vas le regretter!

— Non, répond calmement Fred. C'est TOI qui vas le regretter. Est-ce que je dois te rappeler que tu viens de t'abîmer la main sur le coffre? On t'a entendue jusque dans notre classe. Tu vas être un bon bout de temps sans cogner qui que ce soit.

— Zut! lance Gaëlle en frottant sa main endolorie.

— Bien joué, Fred, dit Olivier.

— Bon, maintenant que nous avons réglé ça, continue Fred, voyons voir un peu à quoi ressemble mon trésor.

Malgré la peur et le dégoût que Fred nous inspire, nous ne pouvons pas nous empêcher de nous presser autour de lui.

Fred inspire à fond et soulève le couvercle.

Chapitre 49

Ce que nous PENSIONS trouver dans le coffre au trésor

1. De l'or
2. Des rubis
3. Des émeraudes
4. Des diamants
5. Des bracelets
6. Des pièces de monnaie
7. Des colliers de perles
8. Des bagues
9. Des poignards ornés de pierres précieuses et des coupes en argent
10. Des pistoles (peu importe ce que c'est)

Chapitre 50

Ce que nous trouvons véritablement dans le coffre au trésor

1. Une bille
2. Un caillou
3. Un crayon à mine
4. Un yo-yo
5. Une dent de requin
6. Une patte de lapin
7. Un cache-œil noir
8. Un anneau en plastique
9. Un pistolet à eau
10. Une carte de baseball

Chapitre 51

Comment insulter un Rustaud

Fred lance le coffre par terre.

— Ce n'est pas un trésor! crie-t-il. C'est juste un paquet de babioles sans valeur! Tournelle, tu es un crétin!

Je réplique :

— Ce n'est pas ma faute! Je ne l'ai pas enterré, ce trésor! Et je ne t'ai jamais demandé de me le voler. S'il y a un crétin dans le coin, c'est...

— Henri, intervient Janie, ma mère dit toujours que si l'on ne peut rien dire de gentil au sujet d'une personne, alors il ne faut rien dire du tout.

Évidemment, la mère de Janie a raison. Mais il est déjà trop tard. Le mot se faufile entre mes lèvres avant que je ne parvienne à les fermer. Et je hurle de frustration :

— TOI!

Oh, oh!

— Bon, ça suffit, grogne Fred, enragé. Je vais t'apprendre, moi, à insulter un Rustaud.

Il plonge droit sur moi.

Je me prépare au pire.

Mais il n'arrive jamais.

Lucas lui fait un croc-en-jambe. Fred trébuche, perd pied et tombe tête première dans le trou où le trésor était caché.

Toute la classe pousse un cri de joie.

— Bien joué, Lucas! lui dis-je.

— Je vais le dire à mon frère que tu as fait ça! menace Olivier.

— Je le sais DÉJÀ, imbécile! hurle Fred. Aide-moi plutôt à sortir d'ici!

— Je ne voulais pas faire ça, clame Lucas avec un air terrifié. C'est un ACCIDENT!

— Les accidents, ça arrive, dis-je. Ne t'inquiète pas avec ça!

Je pose les yeux sur le trésor qui est éparpillé par terre.

Il a peut-être l'air d'un tas de babioles sans valeur, mais quand je pense à l'excitation de mon père lorsqu'il tombe sur sa collection de cartes de baseball qu'il a constituée quand il était jeune, je me dis que M. Barbeverte ressentira sûrement la même émotion devant ces babioles.

— Venez! dis-je à Gaëlle, Jacob, Janie et Lucas. Aidez-moi à ramasser tout ça. Nous devons apporter ces trucs au bureau de M. Barbeverte... et vite!

Chapitre 52

À la rescousse

Nous ramassons toutes les babioles, les remettons dans le coffre et courons à toutes jambes jusqu'au bureau du directeur.

Dès que nous mettons le pied à la réception, j'entends des cris. Ils viennent du bureau de M. Barbeverte.

J'espère seulement que nous n'arrivons pas trop tard.

Mme Rabat-Joie est au comptoir.

— Vous pensez aller où comme ça? lance-t-elle en nous foudroyant tous de son regard laser.

Cette fois, elle ne me fait pas peur. Si nous voulons sauver M. Desméninges, il n'y a pas de temps à perdre avec la peur.

— Je vous expliquerai plus tard! dis-je en me dirigeant droit vers le bureau du directeur.

— Oh, non! Pas question! réplique Mme Rabat-Joie en sortant de derrière son comptoir et en venant se planter, bras tendus, devant la porte du bureau du directeur. Tu vas m'expliquer ça immédiatement!

— Mais le temps que je vous explique, il sera trop tard, dis-je. S'il vous plaît, laissez-nous entrer. Je vous en prie!

Mme Rabat-Joie secoue la tête.

— Personne n'entre ni ne sort du bureau de M. Barbeverte sans ma permission. Surtout pas une bande d'enfants sales et débraillés qui n'a même pas de rendez-vous!

Je respire à fond.

— Alors, vous n'allez pas nous laisser entrer? dis-je.

— Non! répond Mme Rabat-Joie d'une voix ferme. Et cesse de me le demander, tu me fais perdre mon temps!

— Ce n'est pas nous qui faisons perdre du temps à qui que ce soit, ici, dis-je. C'est vous!

— Comment oses-tu m'accuser de vous faire perdre du temps! dit Mme Rabat-Joie en s'étranglant. De toute ma vie, je n'ai jamais perdu un seul moment. Et je n'en ai jamais fait perdre à qui que ce soit!

— Eh bien, je suis désolé de vous l'apprendre, madame Rabat-Joie, mais c'est exactement ce que vous êtes en train de faire en ce moment. Gaëlle? Peux-tu ôter Mme Rabat-Joie du passage, s'il te plaît?

— Bien sûr, répond Gaëlle en ouvrant grand les bras.

— N'y songe même pas, jeune fille! l'avertit Mme Rabat-Joie.

Gaëlle se contente de sourire.

Elle agrippe Mme Rabat-Joie de ses bras puissants puis, comme si elle n'était pas plus lourde qu'une poupée, elle la soulève et la dépose à son bureau, derrière le comptoir de la réception.

Mme Rabat-Joie est trop surprise pour protester.

— Allez-y, me dit Gaëlle en se plantant dans l'embrasure de la porte pour empêcher Mme Rabat-Joie de s'échapper. Je vais vous attendre ici.

— Vous ne l'emporterez pas au paradis, menace Mme Rabat-Joie.

— Nous verrons bien, dis-je en ouvrant la porte.

Chapitre 53

Le retour du trésor

Nous nous entassons dans le bureau de M. Barbeverte.

M. Desméninges et Mme Malcommode sont debout, dos à nous, devant le bureau du directeur.

Mme Malcommode crie son mécontentement :

— Je ne peux tout simplement pas enseigner tant qu'il se trouve dans cette école! Surtout pas avec tout ce creusage. C'est très perturbant et extrêmement dangereux! Alors, soit il part... soit je m'en vais!

Mme Malcommode prend une grande respiration. Je suis certain qu'elle aurait poursuivi son délire verbal si M. Barbeverte n'avait pas levé la main pour l'en empêcher.

— Excusez-moi, madame Malcommode, dit-il en se tournant vers nous. Que signifie cette irruption dans mon bureau, sans le moindre avertissement?

Janie, Jacob, Lucas et moi nous mettons au garde-à-vous et le saluons.

Surpris, Mme Malcommode et M. Desméninges se retournent d'un bloc.

— Nous sommes vraiment désolés de cette irruption, monsieur Barbeverte, dis-je, mais nous avons pensé que ça vous intéresserait de voir ceci.

Je m'avance et dépose le coffre sur son bureau. Puis je soulève le couvercle et recule d'un pas.

Le directeur regarde le trésor, ébahi.

M. Desméninges nous regarde, ravi.

— Mon trésor! s'écrie M. Barbeverte en exhibant, tout joyeux, les objets du coffre et en les examinant. Mon cache-œil de pirate ET ma dent de requin! Je n'aurais jamais cru les revoir un jour!

J'avais raison quand je disais que les adultes deviennent dingues quand ils retrouvent des trucs de leur enfance. Jusqu'ici, tout va bien : mon plan fonctionne à merveille.

— Comment l'avez-vous retrouvé? demande le directeur en hochant la tête.

Je m'empresse de répondre :

— C'était l'idée de M. Desméninges. Je lui ai parlé du trésor enfoui et, comme il est archéologue de profession, il a tout de suite eu l'idée d'organiser une vraie fouille archéologique pour le retrouver.

— Mais comment avez-vous fait pour savoir où chercher?

— L'indice était dans le message, dis-je. J'ai médité sur la phrase « Creusez et fouillez pendant mille et une nuits » et je me suis souvenu du livre qui s'intitule *Les Mille et Une Nuits*. Nous sommes donc allés en chercher un exemplaire à la bibliothèque.

— Oui, poursuit Janie avec excitation, et nous avons trouvé un conte à propos d'un homme qui part très loin à la recherche d'un trésor pour se rendre compte à la fin que celui-ci était enfoui tout près de lui... c'est-à-dire dans sa propre cour.

M. Barbeverte fronce les sourcils en essayant de comprendre toute notre histoire.

— Ainsi le trésor était...?

— Tout près de vous, dis-je. Il était sur l'île au Crâne depuis tout ce temps!

Le directeur se frappe le front du plat de la main en s'écriant :

— Mais bien sûr. C'est génial!

La gorge de Mme Malcommode émet un drôle de petit bruit.

Je jette un coup d'œil de son côté en m'attendant à la trouver en colère.

Mais elle n'a pas l'air en colère du tout. Elle a l'air terrorisée.

M. Barbeverte examine le coffre de plus près.

— Quel magnifique coffre au trésor! dit-il en le soulevant pour l'examiner sous tous ses angles. J'aurais donné ma chemise pour en avoir un aussi beau que celui-ci. Je me demande à qui il appartenait? À la personne qui a volé notre trésor, je présume. Attendez un instant! Les lettres V.S. sont gravées au fond.

Il s'assoit et répète les lettres « V.S. » à voix basse, le regard dans le vide, comme s'il était sur le point de se rappeler quelque chose de très important.

Mme Malcommode a l'air de plus en plus perturbée. Elle rougit à vue d'œil. Des gouttes de transpiration perlent sur son front.

— Violette Sauvageau! s'écrie soudainement le directeur.

Il fixe intensément Mme Malcommode, qui recule déjà vers la porte.

— C'était VOUS! s'écrie-t-il. C'était vous la scélérate qui aviez volé mon trésor!

Le regard de M. Desméninges alterne entre M. Barbeverte et Mme Malcommode.

— Comment cela est-il possible? demande-t-il. Ses initiales sont V.M.!

— Elle ne s'est pas toujours appelée Mme Malcommode! explique le directeur. Malcommode, c'est le nom de son mari. Quand elle était jeune fille, Violette s'appelait Violette Sauvageau et ses initiales étaient V.S.!

Chapitre 54

Mme Malcommode s'enfuit

La porte claque.

Mme Malcommode est partie.

— Je le savais! s'exclame Jacob. Je le savais depuis le début qu'il y avait quelque chose de louche chez Mme Malcommode.

— Vraiment? s'étonne Janie. Oh! Jacob, tu es tellement futé! Je n'avais rien soupçonné.

— C'est drôle que tu n'aies jamais partagé tes soupçons avec nous, dis-je à Jacob.

— Tu ne m'as jamais demandé mon avis, réplique-t-il.

— Eh bien, ne restez pas plantés là comme une bande d'empotés, marins d'eau douce! s'écrie le directeur. Attrapez-la!

Lucas se précipite hors du bureau en soufflant dans son sifflet strident.

— Ne vous inquiétez pas, monsieur, dis-je. La situation est sous contrôle.

Un instant plus tard, Gaëlle entre dans le bureau avec, au bout du bras, une Mme Malcommode qui se débat frénétiquement.

Lucas les suit, le sifflet encore à la bouche.

— Bien joué, Lucas! crie Janie. Mais tu peux cesser de siffler à présent.

Mme Rabat-Joie poursuit Gaëlle.

— Je suis vraiment désolée, monsieur, dit-elle au directeur. J'ai essayé de les empêcher de vous déranger, mais...

Personne n'écoute Mme Rabat-Joie.

— Lâche-moi, ordonne Mme Malcommode en essayant de se défaire de la poigne de Gaëlle.

— Promettez-vous de ne plus vous enfuir? demande Gaëlle.

— Je le promets, répond Mme Malcommode.

— Lâche-la, ordonne M. Barbeverte.

Gaëlle la relâche.

Mme Malcommode renifle, redresse les épaules et affronte le directeur.

— Eh bien! Violette SAUVAGEAU, commence-t-il, qu'avez-vous à dire pour votre défense? Pourquoi avez-vous volé notre trésor?

— Parce que j'étais en colère! répond Mme Malcommode. Vous et vos amis, vous ne vouliez jamais me laisser jouer aux pirates. Vous étiez méchants avec moi et vous me repoussiez constamment.

M. Barbeverte semble embarrassé.

— Eh bien... euh, hum... marmonne-t-il, seuls les garçons peuvent jouer aux pirates. Tout le monde sait cela.

— C'est ridicule! s'exclame Mme Malcommode. Les filles aussi peuvent être des pirates!

— Elle a raison sur ce point, intervient M. Desméninges. Il y avait déjà des femmes pirates au moins 600 ans avant notre ère! Attendez un peu... Il y a eu Lady Mary Killigrew, la fille d'un pirate qui est devenue pirate elle aussi... À Macao, il y a eu Lai Choi San, aussi connue sous le nom de la Femme dragon... Il y a eu Grace O'Malley, la Reine de la mer de Connaught et, bien sûr, Sadie la Chèvre!

— Sadie la Chèvre? répète le directeur.

— Oui, affirme M. Desméninges en pouffant de rire. Elle était réputée pour foncer tête première dans le ventre de ses victimes avant de s'enfuir avec leur argent. Les femmes pirates étaient des personnages aussi colorés et aussi terrifiants que leurs comparses masculins.

Janie, Jacob, Lucas, Gaëlle et moi échangeons un regard. Nous nous demandons s'il n'est pas en train d'inventer tout ça.

— J'ai volé votre trésor, confesse Mme Malcommode à M. Barbeverte, parce que je voulais vous donner une leçon, à vous et aux autres garçons. Je voulais vous prouver que les filles font d'aussi bons pirates que les garçons.

— Je crois que vous avez bien démontré votre point de vue, concède le directeur.

— Oui, continue Mme Malcommode, sauf que j'ai égaré la carte que j'avais dessinée. Je vous jure que j'avais l'intention de vous retourner votre trésor, mais je n'ai jamais réussi à le retrouver. Je suis vraiment navrée.

— Allons, madame Malcommode, dit M. Barbeverte, vous n'avez pas à vous excuser. C'est difficile pour un vieux loup de mer comme moi d'admettre que j'avais tort, mais je le reconnais. J'avais tout à fait tort et j'en suis profondément désolé. Si j'avais eu vent plus tôt de l'histoire glorieuse des femmes pirates, je vous aurais laissée volontiers joindre les rangs de notre bande et rien de tout cela ne se serait produit.

— Non, proteste Mme Malcommode, tout ceci est ma faute. Bien sûr, je suis désolée d'avoir volé votre trésor. Je me suis toujours sentie coupable de ce geste. Mais quand les élèves de l'école, puis M. Desméninges, se sont mis à creuser partout pour le trouver, j'ai eu peur de ce qu'il m'arriverait si jamais on le dénichait. Je comprendrai si vous me demandez de donner ma démission et d'aller me chercher du travail ailleurs.

— Pas question! Je crois qu'il s'est écoulé assez de temps depuis cette histoire pour que nous passions l'éponge et oubliions tout. C'est du passé, tout ça. Et je ne crois pas que d'autres fouilles viendront vous embêter... à moins que vous n'ayez connaissance d'un autre trésor enterré quelque part dans l'île?

— Non, répond-elle. Merci. Puis-je vous demander une faveur?

— Oui, dit le directeur. Laquelle?

— Puis-je ravoir mon coffre au trésor?

— Bien sûr, répond M. Barbeverte en refermant le couvercle et en lui tendant le coffre. Il est vrai que ce coffre est très joli!

Mme Malcommode hoche la tête.

— Merci, dit-elle. C'est mon grand-père qui l'a fabriqué. Je croyais qu'il était perdu à tout jamais.

Elle se tourne vers M. Desméninges et ajoute :

— Je crois que je vous dois aussi des excuses. Je constate qu'après tout, il y a peut-être une certaine méthode dans votre folie.

M. Desméninges sourit galamment.

— Plus de folie que de méthode, j'en ai bien peur, dit-il. Ravi de vous avoir été utile.

— Un jour que vous aurez une minute, continue Mme Malcommode, j'aimerais bien que vous me parliez des femmes pirates. J'aimerais beaucoup en apprendre davantage à leur sujet.

— Ce sera avec plaisir! répond M. Desméninges.

Puis il se retourne et nous adresse un clin d'œil qui signifie « Vous voyez? Je vous l'avais bien dit que je lui plaisais. »

Je dois le reconnaître : sauf quand il tombe d'une fenêtre, M. Desméninges sait comment retomber sur ses pieds... avec un peu d'aide de notre part, bien sûr.

Le directeur s'adresse à M. Desméninges.

— Moi aussi, j'ai une dette envers vous, Théobald, déclare-t-il. Vous avez un poste à l'école Sudest de Nordouest de Centreville aussi longtemps que vous le désirez. Mme Ardoise m'a informé qu'elle ne reviendra pas travailler ici. Si cela vous intéresse, sachez que votre poste de suppléant temporaire de la classe 5C est maintenant un poste permanent.

— Qu'en pensez-vous, les enfants? demande M. Desméninges. Avez-vous envie que je reste?

Je m'exclame aussitôt :

— Oui! Restez!

— Deux fois oui, renchérit Jacob.

— Trois fois oui, dit Lucas.

— Ou plutôt quatre fois oui! lance Janie.

— Non! Cinq fois oui! crie Gaëlle.

— Et moi, je dis oui à la puissance six, conclut Mme Malcommode.

Mme Rabat-Joie ne dit pas un mot. À ses yeux, il n'y a pas pire que M. Desméninges pour lui faire perdre son temps... comme tous les autres, d'ailleurs.

— Alors, quelle est votre réponse Théobald? demande M. Barbeverte.

— Je reste, bien sûr, répond M. Desméninges, tout souriant. Mais à une condition.

— Dites toujours, demande le directeur.

— Que la classe 5C s'appelle désormais la classe 5B, dit M. Desméninges.

— Accordé, déclare M. Barbeverte en serrant la main de M. Desméninges. C'est bon de vous avoir à bord!

Puis le directeur se tourne vers moi.

— Henri, dit-il, j'apprécie vraiment les efforts que tes amis et toi avez déployés pour aider M. Desméninges à retrouver le trésor. Comme récompense, je vous permets de vous choisir chacun un objet parmi ceux du trésor. Vous le garderez en souvenir.

— Merci, monsieur, dis-je, mais vous n'avez pas à faire cela. C'est votre trésor!

— Trésor que je n'aurais jamais revu sans votre aide,

dit le directeur. Vous l'avez bien mérité. Allez, choisis un objet!

J'examine les objets du trésor. Pour vous dire la vérité, rien ne me fait vraiment envie. Pendant que je regarde les babioles, ma main est mystérieusement attirée vers le crayon et s'en empare avant même que je n'aie le temps de comprendre ce qui se passe.

— Je crois que je vais prendre ce crayon, si vous le voulez bien, dis-je.

C'est un crayon bizarre. Il est orné d'un motif de tourbillon aux couleurs de l'arc-en-ciel et surmonté d'une petite gomme à effacer verte. Je ne comprends pas ce qui m'a poussé à le choisir, mais je sens que je vais le regretter amèrement. Mais ça, c'est une autre histoire.

M. Barbeverte est ravi de mon choix.

— Je n'ai aucune objection! s'exclame-t-il. Ce crayon appartenait à mon meilleur ami, Marco Fortuna. Il l'adorait. Malheureusement, il n'est plus de ce monde, mais je suis certain qu'il serait content de savoir que tu as son crayon. C'était un sacré écrivain et conteur, ce Marco... un peu comme toi, Henri.

— Merci! dis-je. J'en prendrai bien soin.

Lucas s'avance avec courage et demande :

— Puis-je avoir la patte de lapin porte-bonheur? J'ai toujours rêvé d'avoir une patte de lapin porte-bonheur.

— Bien sûr! approuve le directeur. Un peu plus de chance n'a jamais fait de mal à personne!

Quand Lucas referme sa main sur la patte de lapin porte-bonheur, il semble grandir de quinze centimètres sous nos yeux.

— Merci, monsieur Barbeverte, dit-il.

Il semble déjà moins anxieux qu'auparavant.

Après lui, Gaëlle s'avance pour prendre la dent de requin, Jacob choisit le pistolet à eau, et Janie, l'anneau. Quand nous l'avons tous remercié, le directeur se met au garde-à-vous et nous salue.

Il s'empare du cache-œil de pirate noir et le met sur son œil gauche.

— Merci à vous tous, dit-il. Vous avez fait de moi un vieux loup de mer très heureux.

Chapitre 55

Une leçon de vol

Nous retournons à l'île au Crâne où le reste de la classe essaie – pas très fort – de sortir Fred du trou. Nous annonçons la bonne nouvelle au sujet de M. Desméninges. Tout le monde pousse un cri de joie en apprenant qu'il est désormais notre enseignant régulier. Enfin, tout le monde sauf Fred, qui a toujours la tête au fond du trou. Puis, Gaëlle sort Fred de là et nous passons le reste de la matinée à remplir tous les trous que nous avons creusés.

Une fois que nous sommes tous de retour derrière nos pupitres, M. Desméninges frappe dans ses mains.

Nous tendons le cou, curieux de découvrir quelle leçon folle et incroyable il compte nous donner cette fois.

— Veuillez prendre votre manuel *Les maths, c'est amusant!* et l'ouvrir à la page 45, s'il vous plaît, dit-il.

Personne ne bouge. Ce n'est pas exactement ce que nous espérions.

— Y a-t-il un problème? demande M. Desméninges.

— Oui, répond Florence.

— Je croyais pourtant que tu AIMAIS les mathématiques, Florence, dit M. Desméninges.

— C'est vrai, confirme Florence, mais enfin, après avoir appris à respirer, à glisser sur une pelure de banane, à faire des reconstitutions historiques et à chercher un trésor enfoui dans le sol, les maths me semblent moins amusantes qu'avant.

— Vraiment? se réjouit M. Desméninges en fermant le manuel d'un coup sec.

Puis il le lance très adroitement comme un disque volant par la fenêtre.

— Je blaguais! À vrai dire, nous allons plutôt apprendre à voler aujourd'hui.

— Avec un propulseur dorsal à réaction? demande Guillaume.

— Non, répond M. Desméninges. Comme des oiseaux. Cela vous sera utile si jamais vous tombez d'un avion et que votre parachute refuse de s'ouvrir. Bon, debout, tout le monde. Battez des bras maintenant!

— J'ai peur de voler! s'écrie Lucas. C'est dangereux!

— Pas si tu as une patte de lapin porte-bonheur sur toi, réplique M. Desméninges. Et surtout pas si tu bats constamment des bras. C'est seulement quand on cesse de battre des bras que voler devient une activité dangereuse.

Je souris à Janie. Elle me sourit à son tour.

— Aurons-nous un test là-dessus, monsieur? demande Florence.

Chapitre 56

La dernière grande leçon de M. Desméninges

C'est seulement quand on cesse de battre des bras que voler devient une activité dangereuse.

Chapitre 57

Le dernier chapitre

Voilà, c'était mon histoire.

Juste au cas où vous vous poseriez la question, elle est tout à fait véridique.

Dans les moindres détails.

Si jamais vous visitez Centreville et que vous passiez, par hasard, devant l'école Sudest de Nordouest de Centreville, n'hésitez pas à vous y arrêter.

Nous sommes très faciles à trouver. Notre classe est la première à gauche, en haut de l'escalier.

Et notre enseignant porte un veston violet.

Mais n'oubliez pas de passer d'abord par la réception pour vous annoncer et signer le livre des visiteurs.

Essayez de faire vite. Comme je crois l'avoir déjà mentionné, Mme Rabat-Joie n'aime pas les gens qui lui font perdre son temps.

De toute façon, ça sera super de vous voir. Et puis, si vous avez aimé cette histoire, ne vous inquiétez pas : j'en ai plein d'autres à vous raconter!

Toutes aussi véridiques les unes que les autres.

Dans les moindres détails.

Ah oui! au cas où vous vous le demanderiez : M. Desméninges nous a BEL ET BIEN appris à voler. Mais c'est difficile. Il faut VRAIMENT battre des bras sans arrêt.